Bestsellers

LUCIANO DE CRESCENZO

OI DIALOGOI
I dialoghi di Bellavista

ARNOLDO MONDADORI EDITORE

© 1985 Arnoldo Mondadori Editore S.p.A., Milano

I edizione Biblioteca Umoristica Mondadori ottobre 1985
I edizione Bestsellers Oscar Mondadori maggio 1990

ISBN 88-04-33432-0

Questo volume è stato stampato
presso Arnoldo Mondadori Editore S.p.A.
Stabilimento Nuova Stampa - Cles (TN)
Stampato in Italia - Printed in Italy

Ristampe:

2 3 4 5 6 7 8 9 10 11 12

1993 1994 1995 1996 1997

Oi dialogoi

Il valore di un dialogo dipende in gran
parte dalla diversità delle opinioni con-
correnti. Se non ci fosse stata la torre di
Babele avremmo dovuto inventarla.

KARL R. POPPER

Prefazione

Dedico questi « dialoghi » ai miei genitori.

Papà si chiamava Eugenio De Crescenzo, era nato nel '79 e aveva fatto la guerra '15-'18 in Albania col grado di caporale. L'unica sua impresa bellica di cui io sia a conoscenza (anche perché me la raccontava in continuazione) fu l'essere sopravvissuto al rancio *co 'e cacate 'e zoccola*. Ogni qual volta, da ragazzino, lasciavo qualcosa nel piatto, lui subito cominciava a gridare: « *Io m'aggio magnate 'e cacate 'e zoccola in Albania e chistu vezziuso adda lassà tutta sta grazzia 'e 'Ddio!* »[1]. La grazia di Dio, tanto per intenderci, erano i pezzetti di grasso che faticosamente ritagliavo dalla fettina di carne durante il pranzo domenicale.

Papà da giovane avrebbe voluto fare il pittore, come suo padre del resto: Giuseppe De Crescenzo, allievo di De Nittis e « minore » della scuola di Resina. Ma fu proprio il nonno un bel giorno a troncare sul nascere ogni velleità. Avendolo trovato in Galleria a marinare la scuola con la *cascetta* dei colori sotto il braccio, gli diede tante di quelle botte che finirono tutti e due in questura. Il nonno dovette dare la sua parola d'onore al commissario che non lo avrebbe più picchiato e in cambio mio padre promise di abbandonare per sempre la tavolozza dei colori. « *Si te vuò murì 'e famme*

---

[1] « Io mi sono mangiato le cacche dei topi in Albania e questo viziato deve lasciare tutta questa grazia di Dio! »

'e 'a fà 'o pittore! »[1]: questo, in sintesi, il pensiero di mio nonno sul proprio mestiere. Il giorno dopo papà fu tolto dal liceo Vittorio Emanuele e inquadrato come operaio semplice nella fabbrica di guanti di un parente: il cavaliere Martusciello. A quell'epoca lo Statuto dei lavoratori non c'era, per cui, malgrado i rapporti di parentela con il padrone, il nonno fu costretto a togliersi di tasca due lire per comprare a papà le forbici da guantaio. Si trattò comunque solo di un prestito: alla fine della prima settimana si presentò alla cassa al posto del figlio, a riscuotere la paga.

Col passare degli anni papà divenne capo reparto e finalmente un bel giorno decise di mettersi in proprio: un negozietto in via Chiaia e qualche lavorante nel retrobottega. Gli affari però non andarono subito secondo le sue aspettative: a tirare avanti ce la faceva ma non riusciva a decollare. Secondo mia madre la colpa era tutta dei lavoranti mariuoli e delle commesse che gli rubavano la merce non appena lui voltava le spalle. Non appena mammà si occupò del negozio, le cose cambiarono di colpo: innanzitutto si trasferirono in piazza dei Martiri, zona chic molto frequentata dai turisti inglesi, poi sostituirono lavoranti e commesse, e infine mia madre, duplicandosi come Sant'Antonio, sorvegliò costantemente il laboratorio, le commesse e lo stesso mio padre che aveva il vizio di regalare almeno un paio di guanti a chiunque si fosse presentato in negozio dicendo: « Io sono un pittore ».

Ogni tanto papà esclamava: « Vorrei avere un milione! ». Non ci riuscì mai, anche perché durante il famoso bombardamento del 4 agosto 1943, alle tredici e trenta precise, una bomba americana scoppiò proprio nel negozio di piazza dei Martiri, troncando di netto ogni attività commerciale. Fortunatamente ci rimise la bottega e non la vita, visto che aveva deciso pochi mesi prima di sfollare in un paese tran-

---

[1] « Se vuoi morire di fame, devi fare il pittore! »

quillo, lontano dai pericoli della guerra, e dove, amava ripetere, non arrivava nemmeno il giornale. Quel paese era Cassino.

*

Mia madre, Giulia Panetta, nacque nell'’83 in via Mancini alla Duchesca. A quarant'anni era ancora zitella. La gente del quartiere diceva: « *Puverella, nunn' 'a avuta ciorta!* » e cioè: non ha avuto fortuna. E invece, quando ormai si era già rassegnata, ecco comparire all'orizzonte un uomo di mezz'età con idee matrimoniali: commerciante, capelli bianchi, occhi azzurri e una « buona nominata ». Gli informatori di famiglia dissero: « È tanto una brava persona, non tiene nemmeno un debito! ». Una volta sposati andarono a vivere a Santa Lucia.

Quando nacqui io, papà aveva cinquant'anni e mamma quarantacinque. Questa grande differenza di età, tra me e loro, ha fatto sì che nessuno dei due abbia potuto seguire l'evolversi della mia vita. Papà mi lasciò che ero appena entrato all'Università e mamma quando ancora non avevo dato le dimissioni dalla IBM. Io non so se esista il Paradiso e se loro se lo siano guadagnato, ma lo spero moltissimo. Per mia madre non ho dubbi: se ci fosse un Paradiso da qualche parte, lei sarebbe lì. Diciamo che le spetterebbe di diritto. Casa negozio e chiesa, chiesa negozio e casa, mammà non ha fatto altro che lavorare e pregare tutta la vita. Quanto a mio padre invece ho qualche perplessità, a causa di quella sua abitudine di prendersela con il Padreterno nei momenti difficili. Però, a pensarci bene, non è che bestemmiasse nel vero senso della parola. Ogni volta che cominciava a dire un « *Mannaggia a...* » c'era subito un « Sempre sia lodato » di mia madre che gli copriva l'imprecazione.

Probabilmente il Paradiso esiste sul serio: se non abbiamo notizie di prima mano è perché le anime celesti che lo abitano non possono comunicare con noi in alcun modo e non sanno quello che succede sulla Terra. Sono così isolati che ogni qual volta giunge un carico di anime, papà e mamma sono lì, sulla soglia del Paradiso, che chiedono informazioni a tutti i napoletani in arrivo

« Da dove venite? »

« Da Napoli. »

« Da quale quartiere? »

« Dal Vomero. »

« Sapete niente di un certo Luciano De Crescenzo? »

« Chi, lo scrittore? »

« No, mio figlio è ingegnere, » risponderebbe mia madre con una punta d'orgoglio « ingegnere alla Upim. »

Sono stato quasi vent'anni alla IBM, ma a mia madre, chissà perché, non è mai entrato in testa il nome di questa società: la confondeva con la Upim.

« Veramente c'è un Luciano De Crescenzo ingegnere, che presenta i computer in televisione, » direbbe il nuovo venuto « però, vi ripeto, è sempre quello di prima: lo scrittore. Tiene i capelli grigi e la barba bianca. Vostro figlio tiene la barba? »

« No, ma quale barba! » esclamerebbe mia madre. « Lì alla Upim non gli permetterebbero mai di farsi crescere la barba. E poi mio figlio è timido: non è il tipo di persona che potrebbe fare il presentatore televisivo. È tanto un bravo ragazzo! »

« Scusate se insisto, » continua l'anima « ma questo vostro figlio non è per caso quello che ha fatto il regista di *Così parlò Bellavista*? Sapete perché ve lo chiedo? Perché a me questo film è piaciuto moltissimo. Pensate che me lo sono visto tre volte! »

« No, non è mio figlio: quella che dite voi è tutta un'altra persona. »

Poi un bel giorno (o un brutto giorno, se proprio la vogliamo vedere da un'altra angolazione) arriverei pure io in Paradiso.

Immaginatevi l'incontro: abbracci e baci, lacrime di mia madre, domande di papà che si accavallano con le mie, insomma tutta una vita da raccontare in pochi minuti.

« Come stai? »

« Abbastanza bene, tenuto conto che sono appena morto. »

« Ma che cosa hai fatto in tutto questo tempo? Racconta! Comunque non ti preoccupare, dicci tutto con calma: tanto qua, se c'è una cosa che non manca, è il tempo. »

E io racconterei la mia vita dalla loro scomparsa in poi: il lavoro da ingegnere, i computer, le dimissioni dalla IBM, i primi libri, le trasmissioni televisive, il volume fotografico su Napoli, la storia della filosofia greca, i film, il trasferimento a Roma, eccetera eccetera.

« Scusami, toglimi una curiosità, » direbbe mio padre « ma tu non avevi detto che volevi fare l'ingegnere idraulico? E poi ti sei messo a lavorare nei computer! »

« Sì: scelsi idraulica perché avevo sentito dire che l'Italia era una nazione idraulicamente dissestata. Dighe da fare, argini da controllare, alluvioni, smottamenti, frane, comuni privi di fognature. Insomma a quell'epoca ero convinto che gl'ingegneri idraulici fossero indispensabili... »

« E invece? »

« E invece per trovare un posto fisso fui costretto a buttarmi nei computer. »

« E poi? »

« Poi a un certo punto, quando ero già diventato dirigente, mi scocciai di andare ogni giorno in ufficio e detti le dimissioni. »

« Gesù, Gesù, » direbbe mia madre « a rischio di finire in mezzo a una strada! »

« Così cominciai a fare lo scrittore. »

« Allora aveva ragione quel signore l'anno scorso. Giulia, te lo ricordi quel signore di Milano che arrivò con tutta la famiglia perché aveva avuto la disgrazia sull'autostrada? »

« Come no! Quello diceva: "Signora, le assicuro che suo

figlio fa lo scrittore" e io dicevo: "Ma non può essere, voi state scherzando" e lui a insistere: "Ma si figuri se ho voglia di scherzare dopo quello che mi è successo!".»

« E che si può guadagnare facendo lo scrittore? » chiederebbe mio padre.

« Be', se si ha la fortuna d'imbroccare un best-seller, ma uno di quelli che durano tanto, si possono fare anche molti soldi.»

« E tu quanto hai guadagnato? »

Starei lì lì per dirlo, ma mia madre mi consiglierebbe di abbassare la voce.

« Ssssss... *nun te fà sentì*: qua sono tutti invidiosi.»

« Ma non siamo in Paradiso? »

« Sì, ma è meglio non far sapere i fatti propri agli altri » insisterebbe mammà, guardandosi intorno.

« Dunque, con la filosofia greca, che è stata tradotta un po' dovunque, perfino in Giappone, su per giù ho guadagnato... »

E qui, seguendo il consiglio di mamma, direi sottovoce la cifra complessiva.

« Milioni?!!!! » esclamerebbe mio padre al colmo dello stupore.

« Si capisce: milioni » ripeterei io

« Ma allora tu sei milionario?! »

« Papà, oggi in Italia quasi tutti sono milionari! »

« Gesù, Gesù, *cos'e pazze*! E chissà quanti guanti si vendono.»

« In verità, di guanti se ne vendono pochi.»

« In che senso? »

« Nel senso che nessuno usa più i guanti per uscire.»

« Hai capito, Giulia » direbbe mio padre a mamma. « Milionari sì, ma eleganti no! Non c'è niente da fare, io l'ho sempre detto: eleganti si nasce. Uno può anche diventare ricco da un momento all'altro, però se non ha classe *resta sempre 'nu pezzente*! »

« A proposito, papà: qua sopra avete mai incontrato uno che si chiama Socrate? »

« Uno vestito una schifezza, *curto e chiatto e cu 'na faccia 'e cane bull dog*? »[1]

« Sì, proprio lui. »

« Gira sempre da queste parti, però se vuoi un consiglio, tieniti alla larga. È uno di quelli che quando ti attacca bottone non te lo stacchi più di dosso. Hai voglia di dirgli: "Socrate, hai ragione" che lui subito ti risponde: "E dal momento che mi dài ragione, ammetti di sapere da che parte sta la ragione. Allora dimmi, per cortesia: che cos'è la ragione?". Insomma, figlio mio, se vuoi vivere tranquillo ci sono quattro o cinque persone qua sopra che ti devi scansare: Socrate, Cicerone, Silvio Pellico e Cambronne. »

[1] « Piccolo e tozzo e con una faccia di cane bull-dog. »

Il Mancini di papà

« La più alta concentrazione di artisti di tutti i tempi la si ebbe in Grecia tra il 460 e il 430 avanti Cristo durante la famosa età di Pericle... »

« L'amico di Achille? » dice Salvatore per mettersi in luce.

« Nossignore, » sospira sconsolato Bellavista « quello era Patroclo. Salvatò, tu da un po' di tempo a questa parte non stai attento. Oggi non hai fatto altro che distrarti: prima ti sei alzato perché volevi un caffè, poi perché avevi sentito un rumore nel cortile, e poi alla fine mi confondi Pericle con Patroclo e mi salti sei secoli di storia come se niente fosse! »

« Chiedo scusa, professò, » risponde mortificato Salvatore « ma io sono rimasto impressionato da quel racconto che ci avete fatto l'altro ieri. Ve lo ricordate? Quello di Achille che piange per Patroclo? Ebbè, volevo dire che mi è sembrato strano che 'nu masculone come Achille potesse tenerci tanto per un travestito. »

« E chi t'ha detto che Patroclo era un travestito? »

« Voi, professò: da come ci avete raccontato la storia, mi è sembrato di capire che tra Achille e Patroclo c'era, come si dice oggi, una tenera amicizia. »

« Senti, Salvatò: a parte il fatto che nell'antica Grecia l'omosessualità era cosa di tutti i giorni, Achille e Patroclo erano solo due amici che stavano spesso insieme, praticamente come te e Saverio. »

« Un momento, professò, » interviene Saverio « io sul serio sono amico di Salvatore e questo non lo posso negare: però prima di paragonarci a quei due andiamoci piano. Il rapporto tra Achille e Patroclo è stato sempre, come dire, un poco equivoco, e comunque se proprio ci volete paragonare, allora fatemi la cortesia di precisare che io sono Achille e che Salvatore è Patroclo. »

« Che vorresti dire dicendo che tu sei Achille e io sono Patroclo? » chiede con sospetto Salvatore.

« Lo so io quello che voglio dire » risponde Saverio.

« Sentite, » li interrompe spazientito il professor Bellavista « con il vostro permesso io vorrei continuare la lezione. Se invece voi avete altre intenzioni, ditemelo subito e sciogliamo la seduta! »

« No professò, per carità, continuate! » dice il colonnello Santanna; poi, rivolgendosi verso i disturbatori e cambiando tono: « È inutile: *site sempe vuie dduie ca facite ammuina!* »[1].

« Allora, come vi stavo dicendo, » continua Bellavista « nel quinto secolo avanti Cristo la Grecia conobbe un periodo particolarmente felice per quanto riguarda l'arte: pittori, scultori, architetti, filosofi, drammaturghi e commediografi popolavano i salotti di Atene. »

« E come si spiega questa concentrazione? » chiede Salvatore per farsi perdonare le interruzioni di prima.

« Non si sa: misteri della natura » risponde il professore. « Qualcuno pensa che il catalizzatore di questo fiorire delle arti sia stato Pericle, il capo politico di Atene... »

« Il catalizzatore? » ripete Saverio nella vana speranza che Bellavista voglia spiegargli il termine.

« Altri invece » continua imperterrito il professore « attribuiscono il merito al carattere degli ateniesi: pensate che erano gente così appassionata di gare e scommesse, da orga-

---

[1] « Siete sempre voi due a far casino. »

nizzare competizioni di qualsiasi tipo: mettevano di fronte due pittori, due cantanti, a volte anche due oratori, solo per vedere chi era più bravo. »

« Praticamente come se fossero stati incontri di tennis » commenta Saverio.

« A proposito di tennis, a me mi sta antipatico MacEnroe » mormora Salvatore storcendo il muso. « Ieri l'ho visto in televisione, mi è parso *brutto e scustumato*! »

Tutti si voltano severi verso Salvatore per quest'ultimo intervento fuori tema.

« Una volta ci fu una gara tra i pittori Zeusi e Parrasio che rimase famosa » continua Bellavista dopo aver fulminato Salvatore con lo sguardo. « Per l'occasione venne costruito un palco di legno proprio in mezzo all'agorà per dar modo a tutto il popolo di giudicare i dipinti. Il regolamento prevedeva che entrambe le opere restassero coperte fino all'ultimo momento da drappi rossi, per poi essere mostrate al pubblico una alla volta. Gli applausi più scroscianti avrebbero consacrato il vincitore. Il sorteggio costrinse Zeusi a sollevare per primo il drappo. Il quadro rappresentava un grappolo d'uva. Ebbè, ci crediate o no, il dipinto era stato fatto in modo così realistico che alcuni uccelli di passaggio si posarono sul quadro per beccare l'uva. »

« Per Dio! » esclama il colonnello.

« A quel punto Zeusi, sentendosi già vincitore, disse al suo avversario: "Mi spiace per te, Parrasio, ma credo che questa volta hai perso; solleva comunque il tuo drappo e facci vedere che cosa avevi fatto". "Non posso," rispose Parrasio "il mio drappo è dipinto!" »

« Hai capito, » commenta Salvatore « quella era arte! Altro che questi pittori moderni! »

« A proposito, » dice Luigino « un mio cugino, che lavora all'Enel come sindacalista, mi ha detto che domenica prossima fanno una gita aziendale: vanno tutti quanti a vedere una Mostra d'Arte Moderna alla Villa Pignatelli. Ora, siccome gli sono rimasti tre o quattro posti liberi, se ci vogliamo *impizzare* non ci sono problemi. Lui dice che verso l'una danno pure il cestino. »

« E che è *'o cestino*? » chiede Salvatore.

« Sarebbe la colazione » risponde Luigino.

« E che c'è per colazione? » chiede ancora Salvatore.

« Salvatò, tu quante cose vuoi sapere! » sbotta Luigino. « Quello è tutto gratis: ti portano in pullman fino alla Villa Pignatelli, ti fanno vedere l'Arte Moderna, ti danno la colazione, e vuoi sapere pure quello che ci sta nel cestino! Fammi capire una cosa: ma se il menu non è di tuo gradimento, che fai: non vieni? »

« No, magari vengo lo stesso » risponde con calma Salvatore. « Solo che siccome la pittura moderna già non mi piace, speravo che almeno mi piacesse il cestino. »

« Professò, » chiede Saverio « dite la verità: anche voi preferite la pittura dell'Ottocento, è vero? »

« Be', » ammette Bellavista « diciamo pure che sono cresciuto in mezzo alle tavolette a olio con le "marine di Napoli". Mio padre era un appassionato della scuola di Posillipo. Ogni tanto se ne tornava a casa con un "affarone", come lo chiamava lui. I primi giorni non lo faceva vedere a nessuno per paura di mia madre che non voleva che si "buttassero i soldi dalla finestra", poi ce lo mostrava solo a noi ragazzi: metteva il quadro su un piccolo cavalletto in fondo alla stanza, ci piazzava sopra una luce, e ci faceva entrare nel salotto a occhi chiusi. Al comando "aprite gli occhi" ci guardava sorridendo come per dire: "Avete visto che affare ho fatto?". »

« Professò, a proposito, » dice Salvatore « ieri abbasso Mergellina, agli chalet, ho saputo che c'è una famiglia bisognosa che si vende un quadro di Mancini. »

« Di Antonio Mancini? »

« Non lo so, ma mi hanno detto che si tratta di un quadro bellissimo, solo che mentre lui, il capofamiglia, un certo Bo-

najuto, lo vuole vendere, la moglie si oppone perché dice
che è un ricordo del padre. »

« E allora? »

« Allora per comprarlo bisogna andare quando la signora
non sta in casa. Se volete m'informo. »

*

Filiberto Bonajuto, esperto araldico e maestro d'armi, era
solito dire: « Io sono uno che ha perso il treno dell'Ottocento
ed è stato costretto a prendere quello del secolo successivo,
quello dei computer ». La sua imprecazione preferita era:
« Mannaggia all'elettricità e a chi l'ha inventata! Me lo dite
voi che cosa sarebbero oggi i Rolling Stones senza l'elettricità? Niente, meno che niente! ».

Bonajuto (« con la j lunga, mi raccomando ») nel suo campo era un'autorità indiscussa: un qualsiasi cognome, che
non fosse Esposito, in mano a lui diventava una casata di
prestigio. In meno di un mese era capace di risalire fino alla
settima generazione e di garantire all'interessato almeno la
parentela con il ramo cadetto di una famiglia nobile ma de-
caduta. Un Gaudioso, dopo un attento studio, diventava un
Claudioso, poi si trasformava in Claudio e alla fine diventava
un sicuro discendente della famiglia Claudia e dell'imperatore Tiberio in persona; il tutto certificato su pergamena, aval-
lato da un ex notaio, illustrato da uno stemma nobiliare e
consegnato con i complimenti vivissimi di Filiberto Bonajuto. Ciò nonostante le cose gli andavano male e lui ogni tanto
era costretto a vendere qualche oggetto di casa: una volta un
tappeto, un'altra volta un quadro. Oggi toccava al Mancini.

« Che cosa so fare io? Il maestro d'armi. E a voi, caro professore, risulta che qualcuno abbia bisogno di un maestro
d'armi per fare un duello? No? E per forza, oggi va di moda
l'agguato, il killer, il regolamento di conti a colpi di mitra e
io in questo campo confesso di essere un ignorante: il kalash-

nikov non lo so sparare. Potrei insegnare le buone maniere...
che so io... la tecnica del baciamano... i princìpi del Codice
Cavalleresco di Jacopo Gelli? Ma a chi? Alla signora Am-
maturo che ha il negozio di elettrodomestici alla Duchesca o
alla di lei figliuola che tutte le sere incontra gli amici *punk*
in discoteca? No, mi dispiace, preferisco evitare: pazienza,
ho sbagliato secolo e ne pago le conseguenze. »

Bellavista ascolta lo sfogo dell'esperto araldico e attende
con impazienza che si decida a mostrargli il famoso quadro
di Mancini. Lì, nella camera da pranzo del maestro d'armi,
non lo vede. Alle pareti ingrigiscono solo due stampe senza
valore e un calendario ancora più malinconico con una vedu-
ta di Venezia.

« Allora, questo Antonio Mancini me lo fate vedere? » attacca Bellavista.

« Immediatamente, » risponde il vecchio gentiluomo alzandosi in piedi « se volete avere la cortesia di seguirmi... »

Il Bonajuto apre la porta del salotto, entra e si blocca sul
la soglia. La stanza è buia, a eccezione di una piccola luce
che illumina un quadro posto sulla parete di fondo.

« Eccolo là: Antonio Mancini: *L'infermiera*. Olio su tela
firmato e datato 1883, quando il maestro era ancora ricove-
rato in manicomio. La donna del ritratto è la sua infermiera. »

Filiberto Bonajuto accende la luce centrale del salotto e
stacca il quadro dal muro per meglio mostrarlo a Bellavista

Lui, il professore, diciamo la verità: un Antonio Mancini
lo aveva sempre desiderato. Purtroppo le quotazioni del mercato non gli avevano mai consentito di possederne uno.

« Non so se potrò permettermelo, » dice Bellavista un po'
preoccupato « comunque a chiedere non costa nulla. Quanto
ne volete? »

« Professò, con voi voglio essere sincero, così prima ci
chiariamo le idee e prima ci sbrighiamo. Questo è un Mancini autentico. regalato da Antonio Mancini in persona a mic

suocero che era andato a fargli visita in manicomio. Sarebbe anche un caro ricordo di famiglia, ma questo a voi non deve importare... »

« Sì, mi rendo conto: però se dovesse costare troppo... »

« Per vostra fortuna, » continua il Bonajuto « si tratta solo di uno schizzo, forse nemmeno del tutto terminato, e quindi ha un prezzo contenuto: due milioni ed è vostro. Certo, se fosse stato un quadro completo, come si dice, rifinito, non sarebbero bastati cento milioni per portarselo via; ma se vi ho ben capito, non credo che voi siate il tipo di persona da farsi influenzare da una sciocchezza del genere: opera completa o schizzo, sempre un Mancini è, ovvero la testimonianza di un genio che forse proprio in quegli anni della follia dette il meglio di sé. »

« Me lo immaginavo che sarebbe stato troppo caro per me » sospira Bellavista, sinceramente dispiaciuto. « Ho paura che ci dovrò rinunziare! Il fatto è che, Mancini o non Mancini, in questo momento non posso spendere per un quadro più di un milione. »

« Un milione? » ribatte desolato il Bonajuto. « Francamente mi sembra pochino, diciamo che non basterebbe nemmeno a risolvere le mie scadenze più urgenti. E poi non potete immaginare cosa mi costerà in termini di pace familiare la vendita di questo Mancini! Vi spaventereste se ve lo dicessi. Mia moglie si è sempre opposta alla vendita. Mi sembra di sentirla: "Il quadro è un ricordo di mio padre, vendiamoci tutto, ma non vendiamo il Mancini di papà". Io però, piano piano, giorno dopo giorno, sono quasi riuscito a convincerla. E ora, questa sera... quando la povera donna tornerà a casa e vedrà quella macchia chiara lì sulla parete.. professò! »

Bellavista intento a guardare il quadro, non lo sta ascoltando.

« Professò, » ripete Bonajuto per richiamare l'attenzione

di Bellavista «la vedete quella macchia chiara sul muro? Ebbè, credetemi: questa sera saranno dolori! »

Bellavista finalmente distoglie gli occhi dal quadro e guarda la macchia sulla parete. Per quanto desideri il quadro, non può fare a meno di provare un certo rimorso nei confronti della signora Bonajuto.

« A proposito, professò, » continua il maestro d'armi « se dobbiamo concludere l'affare, facciamolo subito prima che arrivi mia moglie: Maria potrebbe essere qui da un momento all'altro e non vorrei che ci disturbasse mentre stiamo trattando. »

« Sentite, » si scusa Bellavista « io non metto in dubbio il valore affettivo che il quadro può avere per voi e per vostra moglie. Ciò nonostante, in questo momento, io, per mie esigenze personali, non posso spendere di più di quanto vi ho detto prima. Al massimo potrei arrivare a un milione e duecentomila lire. »

« Ma come potete offrirmi solo un milione e due, professò! » si lamenta il Bonajuto. « Questo è un Mancini! Io vi chiedo la cortesia di osservare con più attenzione il ritratto. Guardate qua: la vedete la pennellata del folle? »

« Dove? »

« Qua, professò: guardate il camice. Questo non è mestiere: questa è una sciabolata di biacca, uno scippo di colore buttato giù con rabbia! Ebbene, professore carissimo, voi state vedendo la pazzia dipinta, il grido di aiuto di un prigioniero che vuole essere liberato. Immaginatevi un vulcano un minuto prima dell'eruzione e avrete un'idea di che cosa doveva essere Mancini quel giorno. »

« Sentite, » mormora Bellavista che ormai sta per capitolare « diciamo un milione e trecentomila lire e non ne parliamo più. Tra poco viene l'estate e dovrò affrontare il problema della villeggiatura... »

Il professore non ha ancora terminato di motivare l'ultima offerta, quando alle sue spalle compare una signora di mezz'età vestita in modo alquanto dimesso: un cappottino grigio-scuro, una volpe striminzita attorno al collo e una borsetta di pelle nera tra le mani. La donna si ferma all'ingresso del salotto, ha gli occhi pieni di lacrime, guarda per qualche secondo in silenzio i due uomini, poi con estrema calma dice:

« Filiberto: tu ti stai vendendo il Mancini di papà! »

« No, » risponde Filiberto « lo stavo solo mostrando al signore. »

« Disgraziato! » ripete la signora Maria, ma questa volta con voce molto più alta. « Tu ti stai vendendo il Mancini di papà! »

« Stavo trattando. »

A queste ultime parole, la signora Maria con mossa improvvisa, butta via la borsetta e si lancia sul marito per strappargli il quadro dalle mani.

« Fetente, tu il Mancini non lo vendi! Mi devi prima uccidere a me e poi ti vendi il Mancini! »

Il Bonajuto non si fa sorprendere: con uno scarto rapidissimo, passa il quadro a Bellavista e blocca la moglie spingendola a viva forza contro la parete, poi grida:

« Professò, mettete un assegno di un milione e mezzo sul tavolino e portatevi il quadro... però fate presto... andate via che non ce la faccio più a trattenerla... Portatevi il quadro... »

*

« Ed eccoci davanti a uno dei massimi esponenti dell'Arte Moderna: Alberto Burri. »

Il professore Salemi, esperto d'arte contemporanea e per l'occasione guida del gruppo aziendale Enel, si blocca a un paio di metri da un quadro sul quale è incollato un sacco con una decina di toppe.

« Per chi non lo sapesse, » continua Salemi « Alberto

Burri, insieme a Ballocco, Capogrossi e Colla, è il fondatore del primo autentico movimento pittorico italiano basato sulla non-figurazione... »

« Mi scusi, professore, » chiede uno del gruppo « quale sarebbe il titolo del quadro? »

« *Il grande sacco*: un lavoro degli anni Cinquanta » risponde prontamente Salemi.

Tutti, trovando il titolo quanto mai appropriato, annuiscono soddisfatti; qualcuno socchiude anche gli occhi per meglio comprendere il significato dell'opera. Nel frattempo il professor Salemi prosegue nella presentazione.

« Come capire Burri? Ebbene, signori miei, io vorrei che ciascuno di voi si concentrasse sul dipinto fino a sentire nel profondo dell'animo tutta l'angoscia che l'artista ha voluto esprimere. Osservate per cortesia le lacerazioni della tela, le ferite incrostate di bitume, il bianco della calce viva, la materia inerte strappata, e forse riuscirete a penetrare l'essenza di un'opera che giustamente è stata definita dai critici: "un'iconografia della sofferenza". »

I presenti cercano di concentrarsi, ognuno secondo le proprie possibilità. Saverio e Luigino, in assoluta buona fede, si mettono anche loro a fissare il sacco nella speranza di capirne di più, quando Saverio, con la coda dell'occhio, si accorge che Salvatore sta per chiedere qualcosa all'illustre guida.

« *Uè! Che vuò fà?* »

« Niente, » risponde Salvatore « volevo solo chiedere una spiegazione al professore. »

« E invece ti devi stare zitto! » ribatte Saverio con severità. « Dopo, quando stiamo soli parliamo! »

Il sindacalista che li aveva invitati si era caldamente raccomandato affinché i tre amici non si facessero notare dai dirigenti dell'Enel. Aveva detto: « *Guagliù*, per cortesia, niente commenti e soprattutto niente spiritosaggini ».

« E dopo Burri, ecco a voi Fontana! » esclama Salemi e si

ferma come folgorato. Evidentemente Fontana deve essere uno dei suoi autori preferiti.

Il gruppo si distribuisce come può intorno all'opera e per qualche secondo nessuno osa fiatare. Il quadro in questione si presenta come una tela di colore begiolino, al centro della quale l'artista ha praticato, probabilmente con una lametta, un taglio in diagonale. Saverio, Salvatore e Luigino guardano in silenzio il taglio e si scambiano un'occhiata di intesa.

« Quando si parla di Fontana, » inizia a dire Salemi « è improprio parlare di pittura. Anzi, diciamo le cose come stanno: sarebbe preferibile ammettere, una volta per tutte, che in questo maestro non esiste una vera e propria distinzione tra pittura, scultura e grafica, secondo i significati tradizionali che si è soliti dare a questi generi. Lo stesso Fontana, nel suo *Manifesto Blanco*, preferisce collocarsi al di là di ogni definizione. »

Salvatore non ce la fa più: vorrebbe dire qualcosa, ma proprio in quel momento il professor Salemi gli rivolge la parola: « A questo punto lei potrebbe chiedermi: "Ma allora se non è un quadro, che cos'è?" ».

« Ecco, professò: mi avete tolto le parole di bocca » esclama Salvatore, felice di essere stato autorizzato a parlare. « Che cos'è? »

« È un Concetto Spaziale. »

« Questo è il titolo? »

« No, il titolo è *L'attesa*. »

« E questo qua? » chiede Salvatore, indicando il quadro successivo, dove i tagli sono addirittura cinque.

« *Le attese*. »

« Plurale! »

« Sì, ed è sempre un Concetto Spaziale » ribadisce Salemi.

« Professò, » chiede ancora Salvatore « ma questo Fontana nella vita ha fatto solo tagli? »

« No, » risponde Salemi « c'è anche la serie dei buchi. »

« Insomma, buchi e tagli » conclude Salvatore.

« Hai capito che ti devi stare zitto! » gli mormora nell'o-
recchio Saverio tirandolo per un braccio e facendolo arre-
trare dietro a tutti.

« *Ma tu che vuò!* » protesta Salvatore. « Quello il professore mi ha interrogato e io ho risposto. »

Il gruppo nel frattempo si è spostato nella sala successiva:
Luigino cammina di fianco alla guida, mentre Saverio e Salvatore restano in coda a litigare.

« Tanto devi fare che ce ne devi far cacciare a tutti e tre,
e così finisce che ci perdiamo pure il cestino! » dice Saverio.
« Lo vuoi capire o no che siamo infiltrati? »

« Ma certe volte mi viene spontaneo. »

« E non ti deve venire! Che ti credi, che a me non mi
viene spontaneo! *Io stò comme a 'nu pazzo!* » ribatte Saverio. « Però come vedi non parlo: mi do un pizzico sulla
pancia e mi sto zitto! »

« Io poi devi sapere che mi sento pure un poco stanco » si
lamenta Salvatore « e non capisco perché in questi musei
non mettono più sedie per quelli che si vogliono riposare. »

« Non ti preoccupare, » lo conforta Saverio « c'è una sala
ancora da vedere e poi si va a mangiare. »

Non fa in tempo a terminare la frase che Luigino torna
indietro con gli occhi stralunati.

« *Guagliù*: quello che ci sta nella sala appresso non ve lo
potete nemmeno immaginare: c'è una toilette! »

Salvatore e Saverio si avviano incuriositi e non fanno in
tempo a varcare la soglia della nuova sala quando, sulla destra, scorgono una vera e propria stanza da bagno addossata
alla parete. Non ci manca proprio niente: c'è la vasca, il tap-
petino celeste, le mattonelle sulla parete, una pattumiera,
e perfino un asciugamano giallo.

« Tom Wesselman: *Vasca da bagno, collage num. 3* » annuncia con un certo orgoglio il professor Salemi. « Wesselman è un elemento di spicco della Pop-Art americana. L'ar-

tista, attraverso un assemblaggio di pitture tridimensionali e di oggetti di uso quotidiano, ha voluto sferrare un attacco satirico contro l'edonismo di massa. Per far questo egli si è avvalso del "combine painting", ovvero di un misto tra pittura e collage di oggetti che... »

Salemi s'interrompe perché disturbato da un vociare alle sue spalle. Tutti si voltano a guardare e vedono Salvatore, seduto su una vecchia sedia, che viene aggredito da uno dei guardiani di Villa Pignatelli.

« Avete capito sì o no che vi dovete alzare! »

« Un minuto e mi alzo » risponde Salvatore. « La verità è che mi sento 'nu poco stanco. »

« E vi andate a sedere sulle panche che ci sono all'ingresso, *cà nun ve putite assettà*: questo è un quadro. »

« Come sarebbe a dire, un quadro? »

« Sissignore un quadro! » ripete il custode più inferocito che mai. « Non la vedete la catenella che lega la sedia al quadro che sta dietro? Se non ci credete, leggete qua come sta scritto. »

Salvatore, sempre restando seduto, si volta e legge la targhetta sul muro:

« Robert Rauschenberg: *Pilgrim*, 1960. E con questo? »

« E con questo vi dovete alzare! » urla il guardiano. « Insomma io ho passato un guaio con queste sedie! È possibile che tutti quanti, come arrivano qui, si siedano! »

« E voi, a scanso d'equivoci, fate una cosa, » suggerisce Salvatore « metteteci sopra un cartello con la scritta: ATTENZIONE, QUESTA NON È UNA SEDIA È UN QUADRO! »

*

« Salvatò, ragioniamo » dice Saverio. « Tu sei ignorante perché hai fatto solo le elementari, io sono quasi ignorante perché ho fatto le medie e mi sono bloccato, questi invece tengono tutti una laurea in critica... leggono "Repubblica"...

Ora ti pare possibile a te che due ignoranti come a noi ne capiscono di più di tanti laureati come a loro, che oltre tutto sono pure ricchi e possono spendere? Allora dico io: se tante persone istruite dicono che la pittura moderna è importante, vuol dire che qualche cosa di vero ci deve pure essere e che questi pittori sono veramente degli artisti. »

« Insomma tu dici che, se studiavo, a me mi sarebbe piaciuto il quadro con la sedia. »

« Ma certo che ti sarebbe piaciuto, » insiste Saverio « perché ci avresti trovato il messaggio. »

« Il messaggio della sedia? »

« Proprio così. »

« Secondo me, » ammette Salvatore « mi sarebbe potuto piacere il pittore del sacco. Quello della sedia invece penso che non mi sarebbe piaciuto mai, nemmeno se studiavo tutta la vita. »

« Ma tu che ne sai! » esclama Saverio. « Io continuo a dire che qua basta ragionare: ma ti pare possibile a te, che per ottant'anni, da quando è cominciata quest'arte moderna, nessuno si è mai accorto che era tutto un imbroglio! E allora rassegniamoci all'evidenza e diciamo che siamo noi che non la riusciamo a capire. »

La conversazione ha luogo in casa del professor Bellavista. Salvatore, Saverio e Luigino hanno raccontato per filo e per segno la loro visita alla Mostra d'Arte Moderna.

« Professò, » dice Salvatore « voi però avete fatto male a non venire: vi assicuro che vi sareste divertito. A me, per quanto mi riguarda, mi è piaciuta più questa Mostra qui dell'Arte Moderna che quella del Seicento che siamo andati a vedere l'anno scorso a Capodimonte. Là c'erano troppi Santi, troppi soggetti religiosi, pareva una chiesa! Questa invece era più allegra, più movimentata. »

« Non gli date retta, professò, » lo interrompe Saverio « quello Salvatore non ha capito niente: ogni tanto voleva interrompere la guida, che poi era un professore importantissimo, *sulo p'o sfottere 'nu poco.* Se non era per me che lo fermavo... »

« Ma io non volevo sfottere a nessuno, professò! » protesta Salvatore con innocenza. « Volevo solo capire, questo è tutto. Piuttosto sono curioso di sapere voi che cosa ne pensate dell'arte moderna. »

« Mah » risponde Bellavista dopo una piccola pausa di riflessione. « La domanda è difficile, forse di più di quanto non sembri. L'arte, secondo me, è uno dei modi che l'uomo ha per comunicare con il prossimo. Il pittore, lo scultore, il musicista e, perché no, anche lo scrittore, attraverso l'arte, cercano di trasmettere una idea o una emozione a quelli che li stanno a sentire, agli utenti, come si dice oggi in gergo televisivo. Ora io affermo che ogni volta che c'è una trasmissione di emozioni c'è anche dell'Arte, se invece non arriva nulla allo spettatore, non c'è Arte. »

« Allora secondo voi, » obietta Salvatore « dal momento che io non mi sono emozionato davanti al quadro sfregiato, quello di... »

« ...quello di Fontana » precisa Saverio.

« ...quello di Fontana » ripete Salvatore. « Vuol dire che non c'era trasmissione e quindi che non c'era nemmeno Arte? »

« Proprio così » conferma il professore. « Lucio Fontana sicuramente non è Arte per Salvatore, potrebbe però essere Arte per Bellavista. »

« Non ho capito, è Arte o non è Arte? »

« Salvatò, in Grecia c'era un filosofo che negava l'esistenza della Verità... di una sola Verità, uguale per tutti. Si chiamava Protagora di Abdera. Diceva Protagora: "L'uomo è la misura di tutte le cose, di quelle che sono in quanto sono e di quelle che non sono in quanto non sono". »

« E che significa? » chiede Salvatore.

« Lo vedi che non capisci il messaggio! » esclama Saverio. « E questo perché non hai studiato. »

« Protagora voleva dire » spiega Bellavista « che ognuno
di noi è il centro dell'Universo. Ognuno di noi può decidere
quello che è e quello che non è. Se per te Fontana è solo un
vandalo che sfregia i quadri con la lametta per fare fesso
il prossimo, Protagora ti dà ragione: ti dice: "Salvatò:
Fontana non è Arte". Però nello stesso tempo dà ragione
anche a me che ogni volta che vedo un quadro di Fontana
provo una strana sensazione, come quella che può provare
un uccello che sta volando tra la Terra e la Luna. »

« No, professò, » protesta Salvatore alzandosi in piedi
« voi adesso mi state imbrogliando con le chiacchiere: voi
questa sensazione non la provate. Io invece sono convinto
che tutti quelli che ieri sono venuti a vedere la Mostra erano
de᷄ mio stesso parere, solo che non avevano il coraggio di
dirlo. Pure Saverio, che è un ignorante e che non spendereb-
be diecimila lire per comprarsi un quadro, come un ipocrita
fetente ha detto al professore che ci faceva da guida: "Certo
che questo Fontana è molto suggestivo!". »

« Che c'entra, » si giustifica Saverio « io gliel'ho detto
per farlo contento: ho capito che ci teneva un debole per
quel pittore e ho voluto, come si dice... »

« Compiacerlo » suggerisce Bellavista.

« Sì, proprio così: compiacerlo » ripete Saverio. « Poi voglio dire un'altra cosa: ma voi vi rendete conto che vita
d'inferno deve avere avuto questo Fontana. »

« In che senso? » chiede Salvatore.

« Ma per forza: immaginatevi come dovevano sfotterlo
gli amici quando era giovanotto e non era ancora diventato
famoso. » E qui Saverio si mette a recitare la parte di un
ipotetico amico di Fontana: « "Lucio, che hai fatto oggi?
Hai fatto un altro quadro? Ti sei stancato?", e poi tutti a
ridere. E anche con la cameriera avrà avuto dei problemi.
Io me lo immagino mentre dice alla domestica: "Caterì, tu
nel mio studio non devi buttare via mai niente; anche se

trovi qualche tela scassata, non la buttare che quella costa milioni!". »

« Effettivamente professò, » commenta Salvatore « questi pittori moderni finché non diventano famosi stanno inguaiati! Quello che non capisco è come si regoleranno i posteri. »

« I posteri? » chiede Saverio.

« Sì, i posteri, gli uomini del Tremila. Vi faccio un esempio: una volta ho letto sul "Mattino" che sotto le macerie di una villa abbandonata è stato trovato un quadro di Raffaello. Il muratore che lo trovò ebbe pure una bella mazzetta. Ora dico io: se nel Tremila, poniamo il caso, sotto le macerie della Villa Pignatelli si trovasse un quadro di Wassermann... »

« Di Wesselman » corregge Bellavista.

« Sì, di Wesselman... quello della stanza da bagno che vi ho raccontato prima. Il muratore del Tremila che cosa penserebbe? Che ha trovato un quadro di Wesselman o che ha trovato un cesso scassato? »

« Che ha trovato un cesso scassato » risponde Bellavista sorridendo.

« E si perderebbe pure la mazzetta! » conclude Saverio.

*

« Allora ricapitoliamo: quando ho la mano destra poggiata sul tavolo tutti zitti, significa che il *mazzone* [1] ha abboccato; quando alzo il martelletto all'altezza della faccia, Salvatore deve rilanciare; quando mi aggiusto gli occhiali, Saverio aspetta fino al "due" e poi rilancia ancora una volta; e infine, quando tiro fuori il fazzoletto per asciugarmi il sudore, si rilancia a volontà finché non me lo rimetto in tasca. Il gettone di presenza è sempre lo stesso: diecimila a *capa*

---

[1] *Mazzone*, piccolo pesce del golfo di Napoli che abbocca con estrema facilità. In gergo è l'equivalente di « pollo ».

e quindicimila al colonnello che viene in divisa, poi c'è la
mazzetta se gli affari sono andati bene. »

Alfredo Avitabile, banditore d'asta, recita con voce monotona l'elenco dei gesti convenzionali, più per abitudine
che per altro: da oltre due anni ha sempre gli stessi collabo-
ratori e quindi potrebbe anche risparmiarsi la lezione sui se-
gnali d'intesa. La Sala d'Aste « La tavolozza del Golfo » è
ormai una istituzione nota a tutti gli abitanti del corso Garibaldi. Nessun napoletano dabbene ci comprerebbe mai un
quadro, viceversa la clientela proveniente dall'entroterra
campano si dimostra particolarmente sensibile a questo tipo
di vendita: prima o poi viene attratta dalla voce del banditore, che un impianto Hi-Fi provvede a diffondere sul marciapiede antistante e, una volta entrata, non può non restare ipno-
tizzata dalle presentazioni immaginifiche di donn'Alfredo.

Ascoltate le istruzioni, il gruppo dei finti partecipanti d'a-
sta si dispone strategicamente nel locale: quattro di loro sie-
dono nelle prime due file e tre restano in piedi, alle spalle di
tutti, per dare l'impressione dell'affollamento. Donn'Alfredo presenta il primo lotto in programma e i « pali » rilan-
ciano senza tanto entusiasmo. Nessun *mazzone* è ancora presente in sala e questo giustifica lo scarso impegno.

« E a questo punto, signori miei, v'invito a togliervi il
cappello di fronte a uno dei più grandi capolavori dell'Ottocento napoletano » e qui la voce di donn'Alfredo s'incrina
come sopraffatta dall'emozione. « Ecco a voi un Palazzi prima maniera: *Il ritorno alla fonte*. Vi prego di osservare l'ele-
ganza con cui la giovane contadina mantiene in equilibrio sul
capo la brocca di rame, i capelli corvini della fanciulla, i ri-
flessi dell'anfora, il rigoglio della natura in fiore che sembra
far ala al passaggio della giovinezza... »

« Non ne posso più di questo *Ritorno alla fonte* » mormo
ra Salvatore a Saverio. « Se ci avessi i soldi me lo comprerei
io, solo per non sentire più a donn'Alfredo che parla dei ri-
flessi dell'anfora. »

« E come ti sei fatto delicato! » esclama Saverio. « Fa'
come faccio io. Io ormai non lo sento più, anche quando
facciamo l'asta sono un automa: rispondo meccanicamente,
aspetto che si fanno le otto per prendermi le diecimila lire e
andarmene a casa... »

« Attenzione, » lo interrompe Salvatore « *sta trasenno 'o
mazzone*! »

« Centomila » dice immediatamente Saverio.

« Centoventimila » rilancia Salvatore

« Centoventimila? » ripete disperato donn'Alfredo. « Ma
allora ditelo subito che mi volete prendere per fame e non ne
parliamo più! Qui solo la cornice costa duecentomila lire!
Forse voi non ve ne siete accorti ma questa è una cornice a
guandiera della fine dell'Ottocento, tutta a foglie di oro zec-
chino come si facevano una volta. Questa per farla oggi ci
vorrebbero più di trecentomila lire, sempre che si trovi qualcuno che la sappia fare! »

« Centoquaranta » dice Saverio.

« Centoquarantacinque » gli ribatte subito Salvatore.

« Centocinquanta » grida il colonnello alzando il braccio.

« Centocinquantacinque. »

L'ultimo a parlare è il *mazzone*. È un uomo di mezz'età
vestito di grisaglia grigia. Ha una camicia a quadrettini rosa
e una cravatta azzurra a pois che fa a pugni col colore della
camicia. Ha appena alzato una mano e già se ne è pentito.
Purtroppo per lui l'asta, che fino a quel momento era stata
vivace e combattiva, si ammoscia di colpo: donn'Alfredo ha
appoggiato la mano destra sul tavolo e come d'accordo nessuno rilancia. In un silenzio pressoché religioso si sente solo
la voce del banditore che « batte » senza pietà il *Ritorno alla
fonte*. « Centocinquantacinque e uno... centocinquantacinque e due... centocinquantacinque e tre! Complimenti signore, lei ha fatto un grande affare: ha acquistato un Palazzi! »

« *'Assa fà 'a Madonna!* » sospira Salvatore. « Ci siamo
tolti da sopra lo stomaco anche il *Ritorno alla fonte*! »

« Eppure, Salvatò, » dice Saverio « ti confesso che un poc͞ mi dispiace: io mi c'ero affezionato al *Ritorno alla fonte. Che t'aggia dì*: quel riflesso dell'anfora mi cominciava a piacere! »

*

Rachelina è al centro del cortile, con il viso acceso per l'emozione e con intorno una decina di donne che cercano di consolarla. Ha appena finito di raccontare la sua disavventura, quando intravede il professore avviarsi verso l'ascensore.

« Professò, » grida quasi piangendo « avete visto quello che mi è successo? »

‹ Che t'è successo? » chiede Bellavista.

« M'hanno rapinata! »

« T'hanno scippata, eh! » dice Bellavista. « E io quante volte ti ho detto che non devi camminare con la borsetta! »

« No, professò, non m'hanno scippata: m'hanno rapinata, come si dice... a mano armata! »

« A mano armata?! »

« Sì, armata di un temperino. »

« Gesù Gesù: a rischio di passare un guaio » commenta la portiera del palazzo di fronte. « Io capisco quando rapinano le signore: le vedono tutte impellicciate e ingioiellate ed è logico che ci viene il pensiero! Ma a una povera disgraziata come a Rachelina no. E dove vogliamo arrivare! Adesso ci dobbiamo mettere paura pure noi! »

« Professò, » racconta Rachelina con voce piagnucolosa « io ero andata a fare la spesa per le signorine Finizio che, come sapete, sono un poco tirate e non vogliono mai spendere molto, ragione per cui mi avevano dato i soldi giusti giusti per quello che dovevo comprare. Basta, stavo andando dal *verdummaio* a prendere due chili di *pummarole*, quando mi sono sentito dietro alle reni una puntura. *Guardate ccà: m'ha scassato pure 'o vestito chillu piezzo 'e fetente!* »

Rachelina si volta e, tra i commenti indignati di tutte le amiche, mostra un piccolo strappo sul vestito, proprio in fondo alla schiena. La signora Carotenuto, sarta a domicilio, si offre subito per una riparazione.

« Rachelì, figlia mia, *nun te preoccupà*: il vestito te lo sistemo io. Tu *mò* vieni a casa mia e io te lo *rinaccio* preciso preciso. Ti faccio una cosa invisibile. »

« Ma come è successo? » chiede il professore.

« Ve lo stavo dicendo » continua Rachelina. « Quando ho sentito la punta del temperino dietro la schiena, mi sono voltata e ho visto un giovanotto che là per là me pareva *'nu studente...* »

« *'Nu studente?* » chiede la sarta.

« Sì, » risponde Rachelina « perché teneva gli occhiali e nonostante questo era *'nu piezzo 'e disgrazziato!* Basta, io mi sono voltata e lui mi ha detto: "*Uè, damme 'e solde ca si no t'accido!*". »

« E tu ch'hai fatto? » chiede la sarta.

« Io sul momento ho risposto: "*Nun tengo manco 'na lira*" e lui ha detto: "*E io t'accido*". Allora io mi sono messa paura e gli ho detto: "*Tengo sulo diecimila lire*" e lui ha detto: "*E va bbuò: damme 'e diecimila lire*", allora io ho detto: "*Nun te pozzo dà, pecché me servono pe' fa 'a spesa*". A questo punto lui ci ha *penzato* sopra un poco e poi, calmo calmo, mi ha detto: "*Dammene cinquemila*", e io ho risposto: "Non posso: quelle le diecimila lire sono intere", e lui ha detto: "Andiamo a cambiare", e così siamo andati dal *verdummaio,* e abbiamo fatto cinquemila lire per uno. »

« Sempre con il temperino dietro la schiena? » chiede la sarta.

« Sì. »

« Praticamente è stato uno "scippo concordato" » commenta il professore.

« Proprio così, » risponde Rachelina « però io *me sò morta 'e paura*! »

« A Napoli, professore mio, una signora per bene non può più uscire sola » commenta la sarta, cercando di parlare più in italiano possibile in presenza del professore. « I napoletani sono diventati tutti mariuoli: ieri hanno scippato in via Santa Lucia la madre di una mia amica, una povera donna di sessant'anni, l'hanno *imbroscinata* per terra, lungo tutta la strada, come se fosse stata una *mappina*! »

« Non è vero, signora: i napoletani sono come gli altri » dice una voce dall'accento settentrionale. « Tutto il mondo è paese: pensi che io l'anno scorso sono stato rapinato a Milano in pieno centro e che i malviventi non erano nemmeno meridionali. »

L'ultimo a intervenire è il dottor Cazzaniga, che è comparso alle spalle di tutti, stringendo sotto al braccio un oggetto, avvolto in carta di giornale.

« Ecco perché quando porto con me qualcosa di prezioso, » continua Cazzaniga, dando uno sguardo al suo rudimentale pacco « sto sempre sul chi vive. Comunque è mia opinione che i delinquenti non abbiano patria. »

« L'unico modo di non farsi rapinare » conclude filosoficamente Bellavista « è quello di non avere con sé niente che possa essere desiderato. »

I due uomini si avviano verso l'ascensore. Bellavista nota che il pacco del dottor Cazzaniga ha la forma di un quadro.

« Se non sono indiscreto, ha fatto acquisti? » chiede il professore a Cazzaniga.

« Diciamo pure che ho fatto un affare » risponde il milanese con un pizzico di orgoglio. « Lei deve sapere che ho sempre molto apprezzato la pittura napoletana dell'Ottocento. Penso che valga quanto quella toscana e che finora sia stata ingiustamente sottovalutata dal mercato. Ebbene, finalmente sono riuscito a procurarmi un quadro di Antonio Mancini: un capolavoro! È il ritratto di un'infermiera fatto all'epoca in cui il pittore era in manicomio. Un acquisto, diciamo, molto contrastato: e già, perché mentre il proprietario del quadro era ben disposto alla vendita, la moglie purtroppo non ne voleva sapere ed è stato molto difficile convincerla. »

*

Nella sala da pranzo di Filiberto Bonajuto è in atto un processo per truffa: il professor Bellavista e il dottor Cazzaniga guardano con indignata severità il maestro d'armi stringendo entrambi un quadro fra le mani. I ritratti delle due infermiere, a eccezione del colore dei capelli, sono praticamente uguali: l'infermiera di Bellavista ha i capelli neri e quella di Cazzaniga li ha rossicci.

La signora Maria, come se nulla fosse accaduto, chiede con gentilezza agli ospiti:

« Volete un caffè? »

« No, grazie » risponde secco Bellavista.

Al contrario dei suoi clienti, Filiberto Bonajuto è calmissimo: non sembra assolutamente preoccupato dalla contestazione, anzi, a giudicare dal suo comportamento distaccato, lo si direbbe quasi estraneo alla faccenda, come se i falsi Mancini fossero risultati tali solo per un tragico volere del destino.

« Siete stati sfortunati. Non vi dovevate incontrare » questa la sua flemmatica risposta alle proteste dei due acquirenti.

« Senta lei, » risponde con calma, ma anche con determinazione, il dottor Cazzaniga « io le ripeto ancora una volta che se non ci rimborsa subito, e fino all'ultima lira, sarò costretto a denunciarla per truffa al più vicino commissariato. »

« E non lo potete fare » ribatte pronto l'esperto in codici cavallereschi. « La prima cosa che vi chiederebbe il commissario è: quanto avete pagato per questi quadri? »

« Un milione e mezzo » dice Bellavista.

« Un milione e settecentomila lire » gli fa eco Cazzaniga.

« E voi con un milione e mezzo volevate comprare un quadro di Mancini! Ecco quello che vi direbbe il commissario. Se invece mi denunciate per truffa, allora sappiate che sosterrò la tesi di avervi informato, prima dell'acquisto, che si trattava solo di due imitazioni. Spetterà poi al perito del tribunale stabilire se con un milione e mezzo, e non con cinquanta milioni come dice il Bolaffi, è credibile l'acquisto di un Mancini. »

« Io temo » ribatte Bellavista « che voi sottovalutiate il fatto che sia io che il qui presente dottor Cazzaniga siamo due stimati professionisti, mentre voi, carissimo Bonajuto, con ogni probabilità avete già sulla coscienza qualche episodio del genere. Tra l'altro ho saputo che non vi chiamate Filiberto Bonajuto, ma Alberto Bonaiuto, senza nessuna j lunga nel cognome. »

« Filiberto Bonajuto è un nome d'arte. »

« Quale arte? » chiede ironico Bellavista.

« Caro professore, » risponde dispiaciuto il Bonaiuto senza j lunga, ignorando la provocazione « quello che mi dispiace è che non siete più la persona meravigliosa che ho avuto il piacere di conoscere qui la scorsa settimana. Ma come, dico io: noi quella volta parlammo d'arte... di poesia... di sensazioni... mi spiegaste che l'Arte esiste solo in quanto comunicazione emotiva tra il pittore artista e lo spettatore artista e poi adesso mi cambiate le carte in tavola: mi parlate di denunzie, di commissariato! E io che mi ero entusiasmato di voi! Guardate qua: tengo ancora il biglietto sul quale ho trascritto una vostra frase... »

Alberto Bonaiuto si fruga in tasca ed estrae un pezzetto di carta tutto spiegazzato.

« Ecco qua » esclama il maestro d'armi, leggendo con enfasi. « "Perché nella pittura abbia luogo l'Arte è necessario che ci sia un pittore artista che dipinga e almeno uno spettatore artista che sappia capirlo." » Poi alza lo sguardo e li fissa tutti e due con rammarico: « Ebbene, mi dispiace dirlo: ma nessuno di voi mi sembra che sia uno spettatore artista. Voi, miei cari signori, non mi avete capito! ».

« Noi abbiamo capito che lei ci ha truffato più di tre milioni » conclude seccamente il dottor Cazzaniga.

« Come vedete, siete capaci di parlare solo di soldi » continua il Bonaiuto più deluso che mai. « E l'Emozione? Dove la mettiamo l'Emozione? E già perché io non vi ho venduto solo dei quadri, io vi ho venduto anche un'Emozione... il Piacere dell'oggetto raro... il Brivido del possesso... e voi che ne avete fatto? Mi avete rotto l'Emozione come se fosse un giocattolo per vedere com'era fatto dentro. E adesso mi riportate i cocci indietro e volete di nuovo i vostri soldi. Vi sembra giusto? Allora, per favore, restituitemi anche l'Emozione e io sarò felice di rimborsarvi. »

Donn'Alberto termina il pezzo sull'emozione inchinandosi, come se avesse davanti una platea. Egli sa di avere diritto a un applauso, se non altro per i giusti tempi di recitazione, e sa anche che il professor Bellavista, in cuor suo, deve avere apprezzato l'intervento, ma si rende conto che non può pretendere un riconoscimento esplicito da parte degli accusatori. Per il momento si accontenta dello sguardo di approvazione della moglie che è lì, accanto a lui, e lo guarda commossa.

Il professore prende per un braccio il dottor Cazzaniga e lo invita a sedersi intorno al tavolo.

« Dottò, cerchiamo di essere pratici, » dice Bellavista all'amico « qui una cosa è certa: il Bonaiuto i nostri tre milioni se li è già mangiati! »

« Questo è sicuro » conferma donn'Alberto.

« A questo punto, » continua il professore « a noi conviene salvare il salvabile. » Poi, rivolgendosi al maestro d'armi: « Voi adesso egregio signore ci firmate, tanto bene, dodici cambiali di duecentosessantaseimila lire l'una, cambiali che pagherete puntualmente il primo di ogni mese. È inutile dirvi che come sgarrate di un giorno vi denunziamo. Inoltre ci firmate una bella carta con la quale dichiarate di averci venduto due quadri falsi di Antonio Mancini. Non so se lo avete notato, ma ho rateizzato la cifra in dodici mesi senza apporvi alcun interesse. »

« A voi piace troppo il denaro, professò » esclama per tutta risposta il Bonaiuto. « Eppure non lo avrei mai detto! Ma allora se è il denaro quello che v'interessa, perché correre tanti rischi con i quadri? I quadri possono sempre essere falsi, anche quelli che vendono i grandi antiquari. Guardate che è successo con le teste di Modigliani! Voi invece, se proprio volete essere sicuro che il quadro valga i suoi soldi, vi fate fare un quadro da un corniciaio e ci mettete dentro direttamente le banconote da centomila. Io vi consiglierei una cornice Impero. Per la cronaca sappiate che con dieci milioni in banconote da centomila potete raggiungere una superficie di settanta centimetri per uno e cinquanta. Poi lo appendete in salotto e tutti i vostri ospiti diranno: "Ma tu guarda che bel quadro si è fatto il professore Bellavista! Deve valere almeno dieci milioni!". »

« Avrei cura di prendere le banconote direttamente dalla banca, » risponde Bellavista « evitando di farmele ritirare da voi. ›

« Purtroppo mi accorgo di non godere della vostra stima » conclude il Bonaiuto. « Eppure proprio l'incidente in cui siete incorso vi avrebbe dovuto illuminare sulla mia persona. Io, mi sia consentito dirlo, non sono uno scippatore. La forma, secondo il mio modo d'intendere, è tutto nella vita. Devo farvi notare che la vendita dell'*Infermiera* di Mancini è stata curata nei minimi dettagli: innanzitutto la storia, il pittore in manicomio, l'amico che lo va a trovare, la pennellata del folle, il vulcano in eruzione... poi la macchia sbiadita alla parete... professò: ve la ricordate la macchia sbiadita alla parete?... e infine il monologo del "Mancini di papà" nell'interpretazione di Maria Bonaiuto. Senza complimenti, se vi va di risentirlo la mia signora è a disposizione. » Poi, ri volgendosi alla moglie: « Marì, a gentile richiesta, ti vorrei pregare di fare un bis per i signori ».

La signora Maria, prima che Bellavista o Cazzaniga possano intervenire, prende la volpe e il cappellino da una poltrona e, dopo averli indossati, si porta nella posizione di partenza sotto la porta d'ingresso del salotto.

« Filiberto, » dice con voce calma ma carica di tensione « tu ti stai vendendo il Mancini di papà! »

« No, » suggerisce il maestro d'armi « attacca direttamente da "Fetente, tu il Mancini non lo vendi!". »

« Fetente, tu il Mancini non lo vendi! » obbedisce prontamente la signora Maria. « Mi devi prima uccidere e poi ti vendi il Mancini! »

« Finiamola con queste pagliacciate, io ne ho abbastanza! » grida Cazzaniga e si avvia verso l'uscita.

« Un po' di pazienza, dottore » gli dice Bellavista trattenendolo per un braccio. « Non abbiamo ancora avuto una risposta alla mia offerta ve · un rimborso rateizzato. »

Proprio in quel momento squilla il campanello della porta d'ingresso, Filiberto Bonajuto guarda per un attimo la moglie e, avutone un cenno di consenso, dice a Bellavista:

« Forse è arrivata una soluzione parziale ai nostri problemi: seguitem in sala trucco. »

*

« Professò, il mondo è crudele: ammira l'Arte solo quando è accompagnata dal dolore » dice con un sospiro Alberto Bonaiuto, mentre con una matita per gli occhi si annerisce le palpebre.

La stanza da bagno di casa Bonaiuto è attrezzata a camerino di trucco: tra la tazza e il lavandino il « maestro » ha piazzato una vecchia *console* napoletana col piano di marmo e su di essa un grande specchio con una decina di lampadine mignon infisse ai due lati di una cornice di legno chiaro. Il

piano della *console* è zeppo di matite per gli occhi, scatole di
fondo tinta, tappi affumicati, baffi e parrucche.

Il professor Bellavista e il dottor Cazzaniga stanno in piedi
alle spalle di Bonaiuto e lo guardano incuriositi mentre lui
avvicina il viso allo specchio per meglio truccarsi. I due acquirenti del Mancini per un po' sono stati incerti se andare
subito al commissariato a denunziare il maestro d'armi, o assistere fino in fondo alla sua sceneggiata. Alla fine la Curiosità ha preso il sopravvento sull'Indignazione, e ora eccoli
lì a osservarlo in silenzio mentre si prova una parrucca da
capellone.

« Io e mia moglie ci alterniamo nei ruoli » spiega Bonaiuto. « A volte sono io che preparo il campo e lei entra nel
finale, come è stato nel vostro caso, altre volte invece spetta
a lei il prologo e a me la scena madre. Adesso abbiamo un
cliente di provincia, roba di Casavatore: è un coltivatore
diretto, un certo Cascone. L'amico che me lo ha mandato
dice che è tanto una brava persona. Pare che abbia fatto fortuna con il kiwi. Voi conoscete il kiwi?... No?... È un frutto
esotico che non ha sapore, ma siccome è verde alla gente piace lo stesso. Da quanto ho saputo dal mio procuratore, questo Cascone una volta aveva quindici ettari di terreno tutti
coltivati a cocomeri e guadagnava pochissimo; poi ha fatto
la pensata del kiwi e adesso non sa più dove mettere i soldi.
Per voi quindi ci sono buone speranze: se la vendita andrà
come dico io, tra una mezz'oretta sarò in grado di pagarvi la
prima rata. »

« Avete intenzione di vendergli un'altra *Infermiera*? »
chiede sarcastico Cazzaniga.

« No, per carità, » risponde Bonaiuto, quasi offeso per la
bassa insinuazione « per questo cliente abbiamo preparato il
numero del pittore folle, quello che prima dipinge i quadri e
poi li distrugge. Vedete dottò, la colpa non è nostra se siamo
costretti a fare queste rappresentazioni: è il mondo che pretende la sofferenza Un pittore normale, che gode buona salu-

te, che non si droga, che magari va anche d'accordo con la moglie, dal punto di vista artistico è un fallito. Se al contrario ha una grave malattia, è pazzo, sporco e sta per morire, allora le sue quotazioni salgono vertiginosamente e succede che più si sente male e più tutti me lo chiedono. Ora, secondo voi, cosa dovrei fare? »

Alberto Bonaiuto alza il viso e guarda attraverso lo specchio Bellavista e Cazzaniga, poi, non ricevendo alcuna risposta, conclude: « Mi piego alla richiesta del mercato e dico ai miei clienti: "Volete il dolore? E io ve lo do" ».

« Ha mai provato a vendere i quadri normalmente, come fanno tutti gli altri mercanti d'arte? » chiede Cazzaniga.

« Sì, ma non funziona. Vedete, il problema dell'Arte Moderna è tutto in questo dilemma: il pubblico non essendo in grado di valutare l'opera d'Arte direttamente, per farsi un'opinione, è costretto a giudicare l'artista come personaggio. Supponiamo che Salvador Dalí assomigliasse fisicamente all'onorevole Forlani, stessa faccia anonima e stesso vestito grigio, secondo voi avrebbe avuto uguale fortuna? No, miei cari amici. Il compratore va accompagnato per mano nelle sue scelte come un bambino e io sono qua per questo: per contribuire con la mia esperienza alla sua mancanza di fantasia e per regalargli quell'Emozione che lui da solo non sarebbe mai riuscito a provare. Voi due, per esempio, siete stati sfortunati: non vi sareste mai dovuti incontrare! A quest'ora ognuno di voi guarderebbe con orgoglio il suo Mancini e proverebbe un sottile piacere nel vederlo appeso a una parete della propria casa. Io comunque al vostro posto i Mancini me li terrei lo stesso: un po' per ricordarvi di me e un po' perché, artisticamente parlando, i quadri sono fatti benissimo: hanno stile e intensità espressiva. E poi voi, carissimo dottore, prima o poi dovrete ritornare a Milano e quel giorno le due infermiere non avranno più modo d'incontrarsi... »

« In questo momento cosa sta raccontando sua moglie al coltivatore diretto? » chiede Bellavista.

« Siete interessati alla recitazione? Volete assistere alla catarsi? » risponde Bonaiuto con un sorriso. « Non ci sono problemi: mia moglie sarà felice quando le dirò che questa sera ha avuto un pubblico qualificato. L'importante però è che non facciate rumore. La porta del salotto è la seconda a sinistra nel corridoio. Potete sentire e vedere, guardando a turno dal buco della serratura. »

*

« Che vi debbo dire, don Rafè, la mia vita è un'Odissea, un lungo calvario. Ma come, dico io, tu dipingi questi capolavori e poi che fai? Li distruggi?! »

La signora Maria sta terminando il suo sfogo in presenza di Raffaele Cascone, il coltivatore di kiwi. Il brav'uomo l'ascolta in silenzio e nel frattempo dà uno sguardo all'ultimo capolavoro di Marvizzi, il pittore folle che distrugge tutti i suoi quadri.

« Voi mi dovete credere, don Rafè, » continua la povera donna « quello passa tutta la giornata con il pennello in mano, certe volte non mangia nemmeno per non staccarsi dal cavalletto, e poi, appena ha finito un quadro, si allontana di qualche metro, lo guarda con odio e lo squarta, come se fosse un nemico da uccidere. »

« E voi toglietegli i temperini... le mollette... insomma tutte le armi da taglio » risponde Cascone.

« E come si fa? » si lamenta la signora Maria. « In casa ci sono mille arnesi per rompere un quadro: i coltelli, le forbici, le lamette... Una volta, pensate, ha spaccato un quadro bellissimo, una campagna con rovine, usando il telecomando. »

« Il telecomando! » ripete il coltivatore di kiwi al colmo dello stupore. « E come ha fatto? »

« E che ne so come ha fatto. Certo è che quando si mette in testa di distruggere un'opera non lo ferma nessuno. Questo quadro qui, lo vedete? L'ho salvato *per ventinove e trenta*. Ieri sera lo aveva quasi finito: stava facendo gli ultimi papaveri... »

« Questi sono papaveri? »

« E non li vedete che sono papaveri! Proprio voi che vivete in campagna non riconoscete i papaveri! Questa è un'opera intitolata appunto *Tramonto con papaveri*. Allora, come vi stavo dicendo, ieri sera lui stava al cavalletto quando improvvisamente è squillato il telefono. Io subito ho colto la palla al balzo e gli ho detto: "Sasà, questo deve essere Colabuono, vai tu al telefono", e lui ci è andato. Colabuono è un pittore amico suo che qualche volta porta i quadri qui a casa nostra per poterli vendere. Povero Colabuono! È paralitico, può muovere solo una mano, quella con cui lavora, però è un grande artista! Uno di questi giorni vi faccio vedere uno dei suoi quadri. Ma torniamo a noi: Sasà ha smesso di dipingere per rispondere al telefono e io immediatamente ho preso il quadro e l'ho nascosto. Come potete vedere, non era ancora finito: qua, nell'angolo sinistro, ci mancano una dozzina di papaveri. »

« E poi, quando è tornato dal telefono, che ha detto? »

« Niente. Quello è come un bambino: ha preso una tela pulita da terra e si è messo a dipingere un altro quadro. »

« Certo che questi artisti sono incredibili: è come se vivessero in un altro mondo! »

« Proprio così: in un altro mondo. Il guaio però, don Rafè, è che nella realtà vivono in questo mondo, e in questo mondo si deve mangiare, si deve pagare la pigione al padrone di casa, la bolletta della luce e tante altre cose che lo sa Dio quello che ci vuole. Ecco perché io sono costretta a vendermi i suoi quadri. »

« Sì, signora, voi avete ragione, ma seicentomila lire sono troppe per un quadro incompiuto. Voi stessa me lo avete detto che qua ci mancano i papaveri. E poi c'è un'altra cosa che non va: manca anche la firma di suo marito. »

« La firma?! Gesù Gesù e come volete che ce la metta la firma mio marito? Con il coltello? Vuol dire che vi faccio io l'autentica dietro alla tela. Scrivo: "Questo è un dipinto di mio marito Salvatore Marvizzi", e poi firmo. Pensate piuttosto che i quadri di Marvizzi in circolazione sono pochissimi, in pratica solo quelli che sono riuscita a salvare. »

« Sì, ma seicentomila lire sono troppe, facciamo quattrocento. »

« Ma che volete scherzare! Quattrocentomila lire per *Il tramonto con papaveri* di Salvatore Marvizzi! Io vi posso togliere cinquantamila lire, proprio perché siete voi. Piuttosto sbrighiamoci, perché se si sveglia mio marito, io *abbusco* e voi vi perdete l'affare. »

Alla parola « affare » la porta che dà sul corridoio si spalanca di colpo. Il pittore Marvizzi, alias marchese Filiberto Bonajuto, appare in tutto il suo splendore sulla soglia del salotto: indossa un ex camice bianco chiazzato in ogni luogo di tutti i colori possibili, i suoi occhi sono in pratica due lanciafiamme, i capelli incolti come i serpenti della Medusa gli conferiscono un'aria da cavaliere dell'Apocalisse.

Marvizzi va diritto verso una scrivania, prende un tagliacarte e, brandendolo come un'arma, si avventa sul povero Cascone che proprio in quel momento aveva deciso di guardare meglio *Il tramonto con papaveri*. La signora Maria però riesce a bloccarlo in tempo e contemporaneamente ad ammansirlo. Marvizzi, sconfitto, si butta su una poltrona avvilito. Il tagliacarte gli scivola di mano. La signora Maria lo ripone sulla scrivania e sottovoce dice a don Raffaele:

« Don Rafè, fate sparire questo quadro. Mettete sulla scrivania cinquecentomila lire e *jatevenne*! »

*

Sala d'Aste « La tavolozza del Golfo ». Ci sono tutti: Bellavista, Cazzaniga, Salvatore, Saverio, Luigino, il colonnello in divisa, donn'Alberto Bonaiuto e la signora Maria. Siamo al lotto 44.

« Ed ecco a voi, » esclama commosso il banditore « una coppia di quadri che sono tra le più drammatiche testimonianze della pittura dell'Ottocento: *Le infermiere* di Mancini! »

A mezzanotte va

« Dite quello che volete: ma i fuochi restano sempre una grande manifestazione d'inciviltà! Io adesso abito a Milano da quindici anni, ebbene mi dovete credere: ogni due gennaio provo vergogna a farmi vedere in giro. E già, perché puntualmente ogni due gennaio c'è il titolo sul "Corriere della Sera": UN MORTO E 352 FERITI A NAPOLI PER I FUOCHI DI MEZZANOTTE. Ma come, dico io: noi abbiamo avuto le menti più illuminate dell'intera nazione, noi abbiamo avuto Giambattista Vico e Benedetto Croce, dico Giambattista Vico e Benedetto Croce, roba che al Nord se li sognano personaggi di questa statura, e poi ci dobbiamo sputtanare per quattro *tric-trac* e *botte a muro*! »

Lo sfogo è del geometra Cardone, perito tecnico della Sofined, una finanziaria con sede a Milano in via Pirelli 28. Il geometra è uno di quei meridionali che parla benissimo dei napoletani quando sta a Milano e malissimo quando ritorna a Napoli. In questo momento è il turno di parlarne male: Cardone infatti è ritornato per le feste natalizie.

« Lo sapete quanti miliardi si spendono ogni anno per comprare fuochi d'artifizio? » chiede ai presenti il geometra.

Nessuno risponde e proprio in quel momento un giovanotto, dal viso intirizzito dal freddo si affaccia alla porta del bar e chiede ad alta voce:

« C'è un "sospeso"? »

« *Sì furtunato, Alfò,* » risponde il barista « proprio dieci

minuti fa è venuto Erricuccio e ha pagato un "sospeso".
Pare che il padrone di casa d'Erricuccio, l'avvocato Capuozzo, questa mattina sia scivolato sul ghiaccio e lui ha voluto
festeggiare la notizia. »

Il « sospeso » è un'antica usanza napoletana ormai in via
di estinzione. Solo in alcuni bar dei quartieri popolari è ancora possibile trovarla. In questi locali, quando un cliente
ha dei motivi particolari per sentirsi allegro, nel pagare i
caffè consumati, può offrirne qualcuno in più a favore di
futuri avventori: sono i cosiddetti « sospesi ». In pratica è
come offrire un caffè all'umanità intera.

« *Assa fà 'a Madonna!* È la prima buona notizia della settimana » esclama Alfonso Cannavale, strofinandosi le mani
un po' per la soddisfazione di aver trovato un « sospeso » e
un po' per il freddo.

L'uomo non ha cappotto, ha solo una giacchetta, un po'
lisa, con il bavero alzato per proteggersi la gola. Il suo abbi
gliamento desta una certa impressione dal momento che proprio quella mattina le strade sono ghiacciate e il Vesuvio è
tutto coperto di neve. A Napoli è facile trovare in pieno in
verno gente senza cappotto, e infatti si soffre il freddo come
in nessun'altra città d'Italia. Qualcuno ha messo in giro la
voce che in questo paese il clima è sempre mite e puntualmente il freddo sorprende i napoletani come se fosse un
evento biblico imprevedibile.

« Volete sapere chi è rimasto al mondo che fa ancora le
feste con i fuochi d'artifizio? » continua imperterrito il geometra Cardone. « Noi, i messicani e alcune tribù del centro
dell'Africa. Ho detto tutto. »

« Sì, avete ragione » replica il barista. « Però quest'anno
la polizia ha severamente vietato le *botte a muro*. Proprio
l'altro giorno, hanno fatto una retata a Porta Capuana e
hanno sequestrato più di sei quintali di fuochi. »

« Sei quintali? E che sono sei quintali? Sei tonnellate dovrebbero sequestrarne, altro che sei quintali! » grida Cardone

fuori di sé. « Scusatemi se mi ripeto: ma noi abbiamo avuto
Giambattista Vico e Benedetto Croce e non ci possiamo com-
portare come dei selvaggi! »

« Permettete una parola? » chiede Alfonso Cannavale,
l'uomo senza cappotto. « Io posso essere d'accordo con voi
sulla pericolosità di alcuni fuochi d'artifizio. Però voi non
potete fare di tutta l'erba un fascio: ci sono ' 'fuochi di rumore " e i "fuochi di colore", questi ultimi non sono peri-
colosi. E pure tra i "fuochi da rumore" ci sono quelli che
con un minimo di attenzione non danno problemi. Prendiamo per esempio i *tric-trac*: se ci togliamo la botta finale, e
quindi il *vreccillo*,[1] che è quello che *stroppea*[2] le persone,
voi sentirete solo le botte di preparazione, ma in compenso
nessuno si farà male. Abolire però tutti i fuochi mi sembrerebbe esagerato! Toglieteci pure la soddisfazione di *appicciare* un bengala l'ultimo giorno dell'anno, e a noi che ci resta? »

« Quindi, » ribatte il geometra guardando Alfonso con
cattiveria « a voi non ve ne importa niente se anche quest'anno ci scapperà il morto e quattro o cinquecento feriti?

« Non esageriamo: non ho detto questo » protesta Alfonso. « Se uno si mette a sparare con una pistola e ammazza
qualcuno, è comunque un criminale, in qualsiasi giorno del-
l'anno, Capodanno o non Capodanno. Però pure la tradizione ha i suoi diritti. Tanto per fare un esempio, questa mattina i miei bambini, quando sono uscito, si sono tanto rac-
comandati. Mi hanno detto: *"Papà puortece 'e botte"*. Io
adesso che faccio? Torno a casa a mani vuote? E quelli chi
li sente! Il vero guaio, caro dottore, è un altro: è che non
tengo i soldi per comprare nemmeno dieci *fuia-fuia e 'nu pacchetto 'e stelletelle*! »

I *fuia-fuia*, ovvero i fuggi-fuggi, e le *stelletelle* apparten-
gono al settore « fuochi di colore »: costano poco e non fanno

---

1 Pietrisco.
2 Rovina.

danni. In particolare le *stelletelle* sono dei fili di ferro rico-
perti di zolfo che, una volta accesi, sprigionano in aria centinaia di stelline luminose. In genere vengono consegnate ai
bambini per tenerli buoni e non farli avvicinare troppo ai
fuochi più impegnativi.

« Sentite, » grida a questo punto il geometra aggredendo
il povero Alfonso « voi mi dovete dire perché "dovete" sparare per forza. Ecco: io questo vorrei sapere da voi: PERCHÉ
DOVETE SPARARE. »

« Gesù, ma a Napoli si è sempre sparato, anche per
buonaugurio. Il Capodanno è il Capodanno! »

« E allora spiegatemi un'altra cosa, » continua il geometra
Cardone, dimenticando di essere nato anche lui a Napoli
« voi napoletani, più vi morite di fame, più siete disoccupati,
e più sentite il bisogno di festeggiare. Voi per esempio, mi
avete appena detto che non tenete una lira, benissimo: adesso ditemi per cortesia che cosa avete da festeggiare e da dove
vi esce tutta questa allegria! »

« Ve lo dico subito » risponde Alfonso con tranquillità.
« Io personalmente sparo per protestare e, dal momento che
il Padreterno le mie preghiere non le sente, spero che l'ultimo giorno dell'anno senta almeno il rumore. »

« Sì, adesso ce la prendiamo col Padreterno ch'è sordo! »

« Sordo no, ma distratto sì » precisa Alfonso. « La verità
è, carissimo dottore, che quando un povero disgraziato ha
passato un anno come quello che ho passato io, pieno di pa-
timenti e di amarezze, non può che essere felice il giorno in
cui lo vede finire: spera che il prossimo sia migliore. »

« Io non so quanto spenderete per i fuochi questa sera, »
replica senza pietà il geometra Cardone « però, nei vostri pan-
ni, scusatemi la franchezza, metterei qualche soldo da parte
per comprarmi un cappotto. »

*

Quello che è certo è che oggi Alfonso Cannavale deve a ogni costo procurarsi il minimo indispensabile per santificare il Capodanno: gli basterebbero quarantamila lire, e forse anche trentamila, rinunziando al pesce come secondo: venti per la cena e dieci per i fuochi. Ma come guadagnare trentamila lire? Prova prima con la vedova Sangiorgio, offrendosi per una pulizia radicale delle scale del palazzo in via San Biagio dei Librai, ma la vedova gli rimanda tutto a dopo la Befana. Subito dopo chiede un prestito al cognato e per tutta risposta ne riceve solo un *cazziatone*. L'ultimo tentativo lo fa con il cavaliere Santillo presso il quale ha lavorato come fattorino per dieci anni. Oggi il cavaliere ha ottant'anni e non ha più la cartoleria all'ingrosso che aveva una volta al Rettifilo (tre vani di cui uno ad angolo con via Pietro Colletta); l'ha venduta a pezzi: prima un vano, poi un altro, poi un altro ancora. Continua a vendere quaderni e matite in un bugigattolo di un metro e trenta per quattro, praticamente nel corridoio che fiancheggiava il suo ex negozio. In compenso anche lui è diventato più piccolo: ha ottant'anni e si è ristretto.

« Alfonsì, » gli ha detto il cavaliere « tu lo sai quanto ti voglio bene, ma soldi non te ne posso dare. Se tengo aperta la ditta, è solo per una questione di abitudine. Qui, passato il periodo scolastico, non si vede più nessuno. Oggi il cliente preferisce andare ai Grandi Magazzini, vuole sentirsi libero, vuole toccare la merce, vuole girare. Dimmi tu io qui dove lo faccio girare? »

*

Ormai è sera e sono tre ore che Alfonso se ne sta seduto in piazza San Gaetano nella speranza che qualcuno lo chiami come manovale, come idraulico o come qualsiasi altra cosa. Purtroppo il tempo passa e nessuno gli chiede nulla: Napoli dà l'impressione di non pensare ad altro che al veglione dell'ultima notte dell'anno. Uomini e donne che camminano in fretta, ognuno con il suo pacchetto tra le mani.

Alfonso Cannavale avrebbe potuto indovinare il contenuto di ogni pacco. Tutto dipende, diceva lui, da come uno lo porta. Se vedete una persona che regge un sacchetto di plastica con due dita, senza molta attenzione, state sicuri che si tratta di normali cose da mangiare: verdura, carne, mozzarella o altra roba del genere. Se invece chi porta il sacchetto di tanto in tanto vi ci getta sopra uno sguardo, allora è probabile che dentro ci sia un capitone. Il capitone, quando è vivo, fa sempre sentire la sua presenza e chi lo porta non può fare a meno di dare una controllatina. Se poi vedete un signore che stringe una scatola sotto il braccio, e magari la protegge anche con l'altra mano, potete scommettere che si tratta di un regalo di valore. Se infine il pacco viene sostenuto come se fosse un vassoio, allora non ci sono dubbi: o sono paste alla crema o sono fuochi d'artifizio. Stringere i fuochi sotto il braccio, o portarli penzoloni in un sacchetto, sarebbe pericoloso, specialmente se assieme ai *tric-trac* c'è pure qualche *botta a muro*.

Tutto sommato quella sera si vedevano in giro solo facce allegre. Beati loro, pensa Alfonso, che non hanno problemi. Tra le tante persone che passano però non ne vede nessuna abbastanza amica da poterle chiedere un prestito di trentamila lire. Forse avrebbe potuto tentare con il professore Bellavista, unica faccia simpatica vista in tre ore di attesa, ma proprio mentre stava per farlo, gli era venuto meno il coraggio: Bellavista era un professore di filosofia e non credeva nelle ricorrenze.

« Alfò, » gli aveva detto l'anno scorso, in risposta a una frase di augurio « tu mi dici che oggi è il 31 dicembre, e io ti rispondo che non ne sono sicuro: se nel 1582 Gregorio XIII si fosse fatto i fatti suoi, oggi noi saremmo ancora al 20 dicembre e il Capodanno cadrebbe l'11 gennaio. Comunque, anche con la riforma gregoriana non ti credere che stiamo a posto: ogni cento anni sgarriamo di sessantun decimilionesimi di giorno e questo per non parlare dei buddisti che chiudono l'anno il 12 gennaio. Io poi, se proprio lo vuoi sapere, non sono nemmeno d'accordo con il Concilio di Nicea quando fissa l'equinozio al 21 marzo, per cui sai che ti dico? Questa sera alle undici e mezzo *me vaco 'a cuccà!* [1] »

A uno che ragiona così come si fa a chiedergli trentamila lire in prestito, e poi per festeggiare che cosa? No, non c'è niente da fare, era destino che quell'anno finisse così com'era cominciato: nella miseria più nera. Ad Alfonso il non avere i soldi per comprare i fuochi spiaceva solo per i bambini che ci avevano « messo il pensiero ».

« Cento volte meglio se fossi rimasto a lavorare in America » pensa Alfonso. « In questo momento non mi troverei in una simile situazione. Dice: "Ma anche lì tu facevi la fame". Sì, ma facevo la fame americana, non la fame italiana! A New York il sussidio di disoccupazione è di trecentomila lire la settimana, in pratica quanto guadagna oggi in Italia un impiegato del Ministero con dieci anni di anzianità. Uno dice "la fame" come chissà che avesse detto! E no, non basta, bisogna anche precisare: "La fame dove?": perché una cosa è avere fame in America, un'altra cosa averla in Italia e un'altra ancora in Etiopia. L'importante è scegliersi un Paese che abbia una fame accettabile. »

*

Sull'insegna, a caratteri cubitali la scritta: DA ANDREA 'O CRIMINALE, 'O RE DEI FUOCHISTI, NON SI SCHERZA E NON SI AMMETTE IGNORANDITÀ. Ai due lati una cornice di fuochi colorati e di bengala intrecciati. In un angolo una foto a grandezza naturale di Diego Maradona circondato da un tu-

[1] « Mi vado a coricare! »

bo di cartone, suddiviso in tanti salsicciotti tutti ripieni di polvere pirica. Dietro la testa del calciatore una girandola a mo' di aureola.

« A quanto stanno i bengala? » chiede Alfonso.

« A mille lire i *piccerille*, a duemila i bicolori e a tremila lire quelli biancorossoverdi » risponde asciutto Andrea *'o criminale*.

« E i razzi senza botta? »

« Quelli che si sparano in bottiglia? »

« Sì, quelli. »

« Tremila lire se ne comprate uno, duemila lire se ne comprate dieci. »

« Mah... Io vorrei una decina di *tofe* » dice Alfonso come se avesse veramente i soldi per comprare. « Quanto sta una *tofa*? »

« Una *tofa* o una *tofa-tofa*? » chiede Andrea.

« Una *tofa*. »

« Cinquecento lire e il fischio è garantito. »

« E una multipla a dodici *botte*? »

« *Giuvinò,* » esclama *'o criminale* alquanto spazientito « ditemi la verità: dovete fare un'inchiesta sui prezzi dei fuochi o vi volete veramente comprare qualcosa? »

« 'Onn'Andrè, » risponde umilmente Alfonso « a essere sincero in questo momento non dispongo di molto liquido e quindi mi volevo un poco orizzontare sui prezzi. »

« Quanto potete spendere in tutto? Ditemi la cifra e io vi faccio fare una bella figura. »

« Che volete che vi dica: posso spendere poco... »

« Ho capito: *nun tenite manco 'na lira*! »

« Sì, è proprio così, però se mi date fiducia, potrei fare un acquisto a otto giorni. »

« *Giuvinò,* » risponde *'o criminale* con un sospiro « io vi vorrei favorire, però credetemi: se volessi vendere a otto giorni, a quest'ora i napoletani mi avrebbero già spogliato la bancarella. Papà mio, prima di morire mi disse: *"Guagliò,* i fuochi, quando sono stati sparati, diventano tutti cenere e così pure i debiti". »

« Sì, però se si trattasse di un debito contenuto... »

« Che vi debbo dire: siete capitato male. Quest'anno abbiamo avuto le mazzate dal Giappone. Sono usciti tanti fuochi giapponesi che costano di meno e sono più colorati. Li vendono pure i tabaccai. Sui "fuochi da rumore" stiamo ancora meglio noi, ma su quelli "di colore", ci hanno fatto una chiavica. Insomma siamo in piena crisi industriale. »

« E le fabbriche napoletane come reagiscono? »

« Costruiscono pure loro i finti fuochi giapponesi: comprano le carte a fiorellini direttamente in Giappone, ci scrivono sopra Made in Japan e li vendono come autentici. »

« E voi a me questa sera come mi salvate? »

« *Giuvinò,* ve lo ripeto, io a credito non do mai niente: è una vecchia regola della ditta. L'unica cosa che vi posso dare è un consiglio tecnico: se avete cinquemila lire, compratevi una sola *botta a muro,* però che sia una cosa grande gigantesca, praticamente una bomba atomica. D'altra parte, da quanto ho capito, non avete scelta: per fare bella figura con i vostri vicini dovreste spendere almeno trecentomila lire. Oggi, a Napoli, sotto le trecentomila non siete nessuno! La botta che vi dico io invece sfugge a qualsiasi valutazione: è come se fosse una firma. »

*

Alfonso entra in casa senza dare uno sguardo né alla moglie né ai bambini. Tira fuori da un sacchetto un litro di latte, un mezzo pollo allo spiedo e alcuni pezzi di pizza a taglio, li appoggia sul tavolo da pranzo e dice:

« Io non ho fame, mangiate voi. Io mi vado a coricare. »

« Alfò, te voglio bene, » lo implora la moglie quasi piangendo « resta a tavola con noi. »

« Papà, *'e botte*? » chiede il più piccolo dei due bambini
« *'e stelletelle*? »

« Mangiate e subito dopo andate a dormire! » ordina Alfonso con un tono che non ammette repliche. « Sparare è
un'abitudine incivile! Ogni anno ci sono morti e feriti, e poi
finisce che tutti ci criticano, pure Benedetto Croce! Voi invece siete bambini e quindi siete ancora in tempo a non avere
tradizioni. È meglio che impariate subito a comportarvi come
persone civili. Basta con le feste e con le sparatorie! In questa casa non c'è niente da festeggiare. »

« Papà, » si lamenta Rafiluccio, il maggiore « ma oggi è
l'ultimo dell'anno! »

« Nemmeno questo è sicuro, » replica Alfonso avviandosi
in camera da letto « forse oggi è il 20 dicembre. »

« E allora perché tutti sparano *'e botte*? »

« Perché si sbagliano. »

Gigino, il più piccolo, si mette a piangere. Alfonso fa finta
di non sentire, si sveste in silenzio e si corica. La stanza da
letto è unica: c'è un letto matrimoniale addossato alla parete
più lunga e uno singolo, ai piedi del matrimoniale per i figli.
Dopo mezz'ora arrivano anche la moglie e i bambini. Tutti
si mettono a letto, ma nessuno dorme. Di tanto in tanto si
sente nel buio qualche singhiozzo di Gigino.

Anche senza guardare l'orologio, Alfonso potrebbe dire
quanti minuti mancano a mezzanotte.

Meno 5, meno 4, meno 3, meno 2, meno 1... è mezzanotte. Alfonso non si muove nemmeno di un millimetro: guarda
il soffitto e non parla. La signora Giuseppina vorrebbe dargli
un bacio, ma ha capito che non è il momento, che quella
notte è meglio lasciarlo stare. Anche i bambini sono svegli.
Rafiluccio si siede in mezzo al letto e guarda in silenzio il
padre: ha gli occhi umidi di pianto.

PUM, PUM, TA TA PAM, PUM, TA TA TA TA TA... PUM.
Napoli, come al solito impazzisce. È un crepitìo continuo di
botte: solo chi è stato al fronte durante la guerra '15-'18 può

avere un'idea di che cosa sia a Napoli l'ultimo giorno del-
l'anno. Di tanto in tanto un boato fa tremare i muri della
stanza. I lampi e i bagliori dei fuochi illuminano a sprazzi
intermittenti i vetri biancolatte della finestra, accendendo il
viso di Alfonso che continua a fissare il soffitto.

Un susseguirsi ritmato di una decina di scoppi fa vibrare
più forte i vetri della finestra.

« Questa è una multipla a dodici *botte*, » commenta Alfonso a bassa voce « l'anno scorso costava duemila lire, oggi
'o criminale ne cercava tremila: voglio *vedè* dove vuole arrivare. »

La finestra si colora improvvisamente di verde, poi subito
dopo di rosso, e poi ancora di bianco.

« Questo è il ragioniere D'Alessandro che ha fatto un'altra volta la barriera di fuoco a tre livelli. Io poi vorrei sapere
il ragioniere tutti questi soldi dove li va a prendere. Quello
lavora al Comune, reparto cimiteri. Che si potrà mai rubare
uno al reparto cimiteri per avere tutti questi soldi? Se si pensa che ogni bengala tricolore costa tremila lire e che lui ne
piazza venti per fila... tre per venti fa sessanta... sessanta per
tremila fanno centottantamila lire. *Cose 'e pazze!* »

Un boato scuote tutta la stanza.

« Aè, » continua Alfonso « questa dev'essere la bomba
atomica di cui mi parlava questa sera Andrea *'o criminale*,
deve averla sparata don Carmine Anzalone. Con quello che
guadagna don Carmine con i ferramenta si può permettere
questo e altro! Sul lato destro non si sente ancora niente:
Bebè Jannelli non ha cominciato. Come al solito vuol finire
per ultimo. *'O cretino!* Secondo lui, nessuno se ne accorge
che incomincia in ritardo: l'anno scorso il primo tracco lo
sparò a mezzanotte e mezzo. Io certa gente non la capisco:
tu lo sai che non puoi competere con fuochisti della forza di
Anzalone o di Coppola e allora ritirati in buon ordine che
fai più bella figura: spara quello che puoi sparare e non ti
coprire di ridicolo! »

Tre piccoli scoppi, poi un boato, poi ancora tre scoppi e infine una serie continua di fischi, ciascuno culminante in una botta secca.

« *Mamma mia bella!* » esclama Alfonso che ormai da una decina di minuti sta facendo la cronaca di tutti gli scoppi che sente. « Coppola ha scatenato l'offensiva e Anzalone risponde colpo su colpo. Jannelli ne approfitta per risparmiarsi per il finale. Il ragioniere D'Alessandro se ne fotte e fa bene: lui si dedica solo ai fuochi di colore: quando *si sò* bruciati gli ultimi bengala, ha finito e chiude il balcone. Non ho ancora sentito l'ingegnere Castorino: quello che lavora al Genio Civile... là dovrebbe essere più facile guadagnare qualcosa di extra... a rigore di logica dovrebbe sparare più Castorino che D'Alessandro. Questi *tric-trac* sono roba del vicequestore Caradonna, roba di scarto: trecento lire al pezzo. Ed ecco il gran finale di don Carmine Anzalone. Lo riconosco: lui ogni anno lo fa sempre tale e quale: tutto *tofe* e *botte a muro* intercalate: *'nu fischio e 'na botta, 'nu fischio e 'na botta!* »

Gli spari continuano senza tregua. Alfonso tende l'orecchio e cerca di riconoscere una serie di colpi sparati in lontananza, quando sente il pianto sommesso dei due bambini. Un impeto d'ira lo fa scattare dal letto. Si alza, strappa i figli dalle coperte e li porta davanti all'immagine della Madonna di Pompei.

« *Guagliù,* » grida Alfonso col sangue agli occhi poggiando una mano sul quadro « vi giuro su questa bella mamma di Pompei che non appena papà fa i soldi, fa una sparata che se la deve ricordare tutta Napoli! »

*

Il commissario Di Domenico, da un po' di tempo a questa parte, ogni mattina, appena entra in ufficio, va subito nella stanza da bagno a prepararsi una tazzina di caffè. Ha un fornellino elettrico, la napoletana e tutto il necessario per farsi quattro tazze al giorno.

« I bar rincarano i prezzi e io li fotto » dice agli amici. « Vediamo chi è più tosto: io o loro! »

Non ha ancora finito di bere il caffè quando entra l'appuntato Colapietro.

« Commissà, fuori c'è un certo Cannavale. L'abbiamo arrestato stanotte per schiamazzo notturno. Che faccio: lo faccio entrare? »

« C'ha fatto? » chiede il commissario.

« Si è messo a sparare fuochi d'artifizio, *tric-trac* e *botte a muro* come se fosse stato l'ultimo dell'anno. Tutti i vicini hanno protestato. »

« E voi per questo l'avete arrestato? Bastava una diffida. »

« Sì lo so, però il fatto è che ha telefonato... » risponde Colapietro e mormora un nome sottovoce.

« Ah, ho capito » sospira Di Domenico volgendo gli occhi al cielo. « E va be': fammelo interrogare. A proposito, Colapiè, prima che mi scordo, la lampadina del bagno è fulminata: mettine una nuova e non buttare via la vecchia che mi serve. »

Colapietro provvede alla sostituzione della lampadina e dopo poco ritorna accompagnato da Alfonso.

« Sedetevi qua » dice l'appuntato.

Alfonso Cannavale si siede e aspetta. Aveva passato una notte indimenticabile: che sparatoria! Lui che lanciava razzi a tripla testata, uno dietro l'altro, e tutta via Luigi Settembrini affacciata alle finestre che lo stava a guardare. Certo era stata una grande soddisfazione! Rafiluccio e Gigino si erano messi il vestito della cresima e ognuno di loro aveva controllato dieci bengala biancorossoverdi e due girandole a *tourbillon*. In venti minuti la famiglia Cannavale era stata capace di *appicciare* quattrocentomila lire di fuochi, comprati direttamente in fabbrica a San Pietro a Patierno e tutti a prezzi di liquidazione. Nel finale aveva buttato cinque *botte a muro* modello Hiroshima. Secondo Alfonso quelle *botte a muro* erano state sentite pure a piazza Garibaldi. Poi l'arrivo della polizia: « Chi è? ». « Polizia. » « E che volete? » « Seguiteci. »

Il commissario non lo guarda ancora in faccia: va prima in bagno a riporre la tazzina vuota, si chiude dentro a chiave, ci resta un paio di minuti, si sente lo sciacquone, poi ritorna in ufficio: ha in mano una lampadina che conserva in un cassetto della scrivania.

« Questo è il verbale » dice Colapietro e va a sedersi dietro una vecchia macchina da scrivere.

Di Domenico prende il verbale e lo appoggia sulla scrivania, poi tira fuori di tasca un paio di occhiali e li pulisce con la pezzuola di camoscio che tiene nel cassetto centrale. Alfonso pensa che a questo punto si deciderà ad ascoltarlo, ma, evidentemente, il commissario Di Domenico, per cominciare una giornata di lavoro, ha bisogno di ulteriori preliminari. Adesso ha preso un mozzicone di matita non più lungo di tre centimetri e, dopo avergli rifatto la punta con una lametta, lo innesta in una prolunga di latta in modo da poterlo sfruttare fino in fondo. Ed ecco che finalmente si mette a leggere il verbale, lo sigla con la matita, lo ripone sulla sua destra, guarda Alfonso e, come se stesse continuando un discorso già iniziato, gli dice:

« E così voi improvvisamente, nel cuore della notte vi mettete a sparare! »

« Ma quale cuore della notte, commissà: io ho cominciato a mezzanotte precisa, come vuole la tradizione » risponde Alfonso.

« Quale tradizione? Quella del 12 gennaio? »

« Appunto commissà, quella del 12 gennaio: io sono buddista! »

« Cannavà, » ribatte il commissario, cambiando tono « se voi avete intenzione di fare lo spiritoso alle otto di mattina, io non ci metto niente, vi accontento immediatamente: vi mando a fare due risate a Poggioreale. »

« No, è che volevo dire che alcune religioni festeggiano il Capodanno in giorni differenti. »

« Sì, però le altre religioni non hanno l'abitudine di sparare i fuochi. Voi invece avete sparato. Non vi è bastata la notte di San Silvestro? »

« No, anche perché io a San Silvestro non ho sparato: non avevo nemmeno una lira. »

« E questa non è una buona ragione per sparare il 12 gennaio. »

« Questo lo dite voi: però andatelo a spiegare ai miei bambini! Io quel giorno feci di tutto per stare all'altezza della situazione, ma non me ne andò una bene: a stento riuscii a comprare un po' di latte e mezzo pollo allo spiedo. Commissà, capitemi: io quella sera agli occhi dei miei figli ero un fallito! »

« E che esagerazione! » esclama il commissario. « Un fallito! L'altezza della situazione! Secondo me a Napoli voi siete tutti malati: se uno non spara a mezzanotte diventa subito un fallito! Pure io quest'anno non ho sparato nessun fuoco e non per questo mi sento un fallito. »

« Non avete sparato? » chiede incredulo Alfonso.

« No, » precisa Di Domenico « per protestare contro il caro-fuochi mi sono rifiutato di comprare qualsiasi fuoco d'artifizio. Mi sono limitato a buttare dalla finestra una decina di lampadine fulminate che avevo raccolto durante l'anno. Il rumore l'ho fatto lo stesso e non ho speso una lira. »

« Lampadine fulminate? »

« Sissignore, lampadine fulminate. Ecco qua, vedete se vi dico bugie, » conferma il commissario, tirando fuori dal cassetto la lampadina appena riposta « questa me la sono fatta stamattina. »

« Va bè, commissà, » dice conciliante Alfonso « ma non è mica un reato così grave sparare due fuochi! »

« Questo lo dite voi, ragazzo mio. Il codice però non è d'accordo: aspettate un momento e ve lo faccio sentire. »

Il commissario sfoglia rapidamente un Codice penale che sta sulla scrivania.

« Dunque... vediamo un poco... articolo 685... no questo è per le attività sediziose... eccolo qua, articolo 703: "Chiunque, senza licenza delle autorità, in un luogo abitato o nelle adiacenze di esso o lungo la pubblica via o in direzione di essa, spara armi da fuoco, o lancia razzi, o innalza aerostati con fiamme...". »

« Che innalza? »

« Aerostati con fiamme... mongolfiere, palloni stratosferici. »

« E io questo non l'ho fatto. »

« Sì, lo so, ma la legge deve prevedere tutti i casi possibili. E infatti ecco qua il fatto vostro: "...o accende fuochi d'artificio, o in genere fa accensioni ed esplosioni pericolose, è punito con l'ammenda di lire quarantamila e con l'arresto fino a un mese". Cannavà, quarantamila lire e l'arresto fino a un mese! »

« A me sembra un'esagerazione! » commenta stupito Alfonso. « L'arresto di un mese a *'nu puveriello* che festeggia un affare che gli è andato bene! Ma chi è che ha sporto denunzia? »

« Un vicino di casa. »

« Ho capito: sarà stato *chillu fetente* di Bebè Jannelli. Credetemi, commissà: quello è uno sciacallo! »

« Nossignore, non è stato Jannelli. »

« E chi è stato? D'Alessandro? Anzalone? Coppola? »

« Adesso ve lo dico, così vi mettete l'anima in pace, sapete con chi avete a che fare e da oggi in poi vi starete più accorto. Voi, caro Cannavale, abitate di fronte alla casa del mio diretto superiore, il vicequestore Caradonna. È lui che ha sporto denunzia. Ecco perché io non posso far finta di niente. Che volete che vi dica: siete sfortunato! »

« Commissà, » chiede Alfonso indicando il Codice penale « prima quando mi avete letto l'articolo... »

« 703. »

« ...l'articolo 703. Non mi sembra di aver sentito che la legge contempla una deroga per chi spara il 31 dicembre. »

« No, la legge non prevede eccezioni. »

« E allora, se permettete, io vorrei sporgere denunzia contro il mio vicino di casa vicequestore Caradonna, che il 31 dicembre dell'anno scorso ha sparato in via Luigi Settembrini, e lungo la direzione di essa, una ventina di fetentissimi *tric-trac* da trecento lire, svegliando di soprassalto me e la mia famiglia nel cuore della notte. »

« Va be', Cannavà, ho capito, » conclude Di Domenico alzandosi in piedi « firmatemi la ricevuta della diffida e *jatevenne.* »

L'agente sta per mettere un foglio bianco nella macchina da scrivere quando viene fermato dal commissario.

« Colapiè, che fai? Metti un foglio nuovo? Piglia il verbale di prima, scrivici dietro e fallo firmà! »

Socrate e il paraurti

Socrate. Caro Fedro! Dove vai e da dove vieni?

Fedro. Ero con Lisia, il figlio di Cefalo, o Socrate: ora me ne vado fuori delle mura perché, dovendomi comprare un'automobile usata, desidero visitare un mercato di auto d'occasione che, mi si dice, è stato da poco aperto sulla strada di Eleusi.

Socrate. Dal momento che hai deciso di farti la macchina, perché non aspetti di avere più soldi per poterne comprare una nuova?

Fedro. Non essendo ancora pratico della guida, preferisco imparare su un'auto usata. Tu piuttosto, o Socrate, perché fino a oggi, pur avendone i mezzi, non ti sei comprato una macchina?

Socrate. Per farne cosa?

Fedro. Per andare dove meglio ti aggrada.

Socrate. E dove dovrei andare?

Fedro. Ma, non so... all'agorà, per esempio, dal momento che abiti nel demo Alopece, e che ogni mattina sei costretto a camminare per più di mezz'ora...

Socrate. E tu pensi che a me dispiaccia tutto questo camminare?

Fedro. Così credo, o Socrate.

Socrate. Invece, caro Fedro, io amo talmente il passeggiare che, se fossi molto ricco e avessi un'auto, per non licenziare il mio autista, gli affiderei la macchina e mi farei

seguire da lui, passo dopo passo. E poi non credi che,
andando in auto, perderei ogni possibilità d'incontrare gli amici, di fermarmi e di parlare con loro?

Fedro. Forse quanto tu dici è giusto per le brevi distanze,
ma non per le lunghe. Come potresti, senza automobile, raggiungere in poco tempo luoghi lontani e belli da
vedere?

Socrate. Senofane, a quanto dicono, per sessantasette anni
ha girato il mondo in lungo e in largo, spingendosi persino nella lontana Elea, e che io sappia non ha mai posseduto nemmeno una misera 500. Ma ammettendo,
soltanto per amore del conversare, che sia indispensabile disporre di un'auto per visitare il mondo, mi
puoi suggerire, per cortesia, un motivo valido per visitarlo?

Fedro. O bella! Ma per guardarsi intorno, per godere della
natura. Hai mai visto tu le alture che circondano Pilo?
I dirupi e gli abissi del Citerone? Gli ulivi che rallegrano
le campagne della dolce Tessaglia? Vuoi forse morire
senza conoscere tutte queste gioie?

Socrate. Sii buono con me, o Fedro: io sono appassionato
dell'imparare. Cosa vuoi che possano insegnarmi i dirupi, gli alberi e le campagne, laddove invece ho tanto
ancora da imparare dagli uomini. E di uomini, penso
che in Atene ce ne siano già in numero sufficiente da
non essere costretto ad andare in giro per scovarne
degli altri. Infine voglio farti partecipe di un mio
dubbio.

Fedro. Dimmi tutto senza timore.

Socrate. Io credo che gli automobilisti, come categoria, non
siano persone molto sensibili alle bellezze naturali. Mai
una volta, infatti, che ne abbia visto uno fermarsi lungo

la strada per ammirare il paesaggio. Sembra che l'unico scopo che hanno nella vita sia quello di percorrere, da casello a casello, una precisa distanza in un tempo prestabilito.

Fedro. Dici giusto, o Socrate. Ma ecco che si avvicina Aristogamo. Egli, come tu sai, è un direttore dell'Alfa Romeo e, in quanto tale, potrebbe illuminarci sull'argomento.

Aristogamo. Di cosa parlate, amici, e qual è il problema su cui avete opinioni diverse?

Fedro. Io sto per acquistare un'automobile, ritenendola indispensabile, e Socrate sostiene che essa invece non è utile a nulla.

Socrate. La riterrei utile se fossi, per disgrazia, un paralitico e non potessi più usare le gambe.

Aristogamo. L'unica cosa veramente inutile, caro Fedro, è parlare con Socrate di Progresso. Tu che conosci le sue simpatie per i cinici e per Antistene, come puoi pensare che egli, che non ha ancora scoperto l'uso delle scarpe, possa accettare quello dell'automobile? Socrate non sa, o forse non vuole sapere, che il Progresso ha cambiato il modo di vivere del genere umano.

Socrate. Io credo che tutto quello che ha inventato questo nuovo Dio che tu chiami Progresso sia solo una serie di «prolunghe». L'automobile è una prolunga delle gambe, il telefono una prolunga dell'orecchio, il televisore dell'occhio e il computer del cervello; ma nessuno di questi nuovi marchingegni, che io sappia, è mai riuscito a cambiare l'Uomo nel suo profondo. Passano gli anni infatti e, malgrado le nuove prolunghe immesse sul mercato, gli uomini continuano a comportarsi come sempre. Non ci sono forse, ancora oggi, uomini ambi-

ziosi come Alcibiade, gelosi come Menelao e invidiosi
come Tieste? Quando, come spero, il Progresso sarà
capace di produrre a un prezzo conveniente anche
l'Amore e la Libertà, allora io, caro Aristogamo, diven-
terò un suo fervido seguace.

Aristogamo. Caro Socrate, tu vivi sempre con la testa fra le
nuvole. Ha ragione Aristofane a prenderti in giro. Fosse per te, gli uomini dormirebbero ancora sugli alberi e
sarebbero tutti coperti di peli.

Socrate. Dal momento che sottovaluti i pericoli del Progresso, voglio raccontarti cosa mi disse Parmenide il giorno
in cui lo incontrai in casa di Pitidoro. Sembra che un
po' più a nord di Elea ci sia una grande città di mare
chiamata Neapolis, molto suggestiva e molto popolosa.
Neapolis è stata così amata da Zeus che il suo golfo, si
dice, sia il più bello del mondo. Alcune isole di straor-
dinario fascino la circondano, così come una collana di
diamanti può cingere il collo di una regina di Oriente,
e il cielo è più azzurro degli stessi occhi di Glauco. Perfino Vulcano, pare, ha contribuito a questo scenario
facendo sì che una delle sue fornaci, un monte chiamato
Vesuvio, eruttasse lava per meglio conservare ai posteri
i parchi archeologici di Pompei ed Ercolano. Per tutte
queste cose Neapolis negli ultimi due secoli è stata fra
le mete più ambite di tutti i turisti del mondo. Gli inglesi per essa hanno coniato addirittura uno slogan: «Vedi
Neapolis e poi muori», e questo per dire che non ha
senso continuare a vivere dopo aver visto il massimo
che la natura ha saputo creare.

Aristogamo. Perché ci racconti queste cose, o Socrate, e cosa
ha a vedere la bellezza di Neapolis con l'utilità dell'automobile?

Socrate. Se avrai pazienza, carissimo amico, ti mostrerò
come questo trabiccolo con quattro ruote, che tu chiami
automobile, può essere più potente di Zeus e di Vulcano
messi insieme.

Fedro. Di' pure ciò che vuoi, Socrate, che noi ti staremo a
sentire.

Socrate. Come stavo dicendo, Neapolis era la meta dei turisti e degli studiosi quando, improvvisamente, è stata
cancellata dagli itinerari di tutte le compagnie di viaggio per colpa dell'automobile. Il traffico disordinato,
il rumore dei clacson, gl'ingorghi che rendono impossibile spostarsi velocemente da un capo all'altro della
città, hanno fatto sì che i turisti oggi evitino di fermarsi
nei suoi alberghi e percorrano solo il tratto che va dal-
l'aeroporto all'imbarcadero degli aliscafi.

Aristogamo. E tu pensi che eliminando l'automobile, Neapolis ritornerebbe a fiorire?

Socrate. Non ho dubbi in proposito. Anche perché Neapolis
è afflitta da un'altra calamità e cioè dalla Camorra.

Fedro. La Camorra? Che cos'è: una malattia?

Socrate. In un certo senso, caro Fedro, è una malattia so-
ciale, che può persino provocare la morte. La Camorra
è un'associazione di banditi che taglieggia e terrorizza
tutta la città.

Aristogamo. E cosa c'entra la Camorra con l'automobile?

Socrate. È bene che tu sappia che è impossibile fare il ban-
dito senza possedere un'automobile, dal momento che
l'epilogo di ogni impresa criminosa è pur sempre la
fuga. In altre parole non si può rapinare una banca e
poi aspettare l'autobus. Infine, più l'animo di un uomo
è arido e incline al cattivo gusto, e più egli non può
fare a meno dell'automobile. Proprio nei dintorni di

Neapolis ci sono due isole che ci danno un esempio concreto di ciò che voglio dimostrare. Queste due isole si chiamano Capri e Ischia. La prima, per l'angustia delle sue strade, è del tutto vietata alle auto e per questo viene frequentata da un pubblico colto e raffinato; la seconda viceversa, pur essendo altrettanto splendida di bellezze naturali, viene regolarmente invasa ogni estate da una masnada di trogloditi motorizzati che la rende inabitabile. Alla luce di queste riflessioni, io dico che Neapolis potrebbe risolvere, in un sol giorno, ogni suo problema sempre che proibisse l'uso delle auto in tutto il territorio comunale e si accontentasse dei soli servizi pubblici: i delinquenti emigrerebbero altrove e i turisti, non più disturbati dai rumori del traffico, ritornerebbero a frotte in questo ritrovato Paradiso.

Aristogamo. Credi che anche Atene corra questo pericolo?

Socrate. Sì, ne sono certo, a meno che non si vieti fin da subito la circolazione delle auto.

Fedro. Probabilmente, o Socrate, tu dici il vero: ma siccome io per più di venti anni sono stato un povero pedone e ho sempre visto gli altri andare su e giù in automobile, ritengo giusto, adesso che è venuto il mio turno, provare anch'io l'ebbrezza della velocità per almeno altri venti anni, salvo poi a convertirmi alle tue tesi, una volta esercitato questo mio diritto.

Socrate. Temo, mio caro amico, che in Atene l'ebbrezza della velocità sia un po' difficile da provare. Non ti accorgi che ogni giorno che passa è sempre più problematico attraversare il centro storico?

Aristogamo. E tu che sei il più saggio di noi, quali accorgimenti proporresti agli strateghi del traffico per rendere più agile la nostra città?

Socrate. Istituirei le corsie preferenziali per le sole auto bene
   utilizzate.
Aristogamo. In che senso bene utilizzate?
Socrate. Penalizzerei gli automobilisti solitari. Quando
   esco la mattina mi accorgo che quasi tutte le auto che
   mi passano accanto ospitano una sola persona: il guidatore. In pratica ogni giorno gli ateniesi escono di
   casa e portano a spasso per la città alcune centinaia di
   migliaia di metri cubi di aria. Con il mio metodo invece, nelle zone particolarmente intasate, quelle appunto
   del centro storico, io farei circolare solo le auto con almeno tre persone a bordo. Questa disposizione convin-
   cerebbe gl'impiegati ad allearsi fra loro e a recarsi in
   ufficio in gruppi di tre, il che favorirebbe il dialogo e
   la comprensione fra gli esseri umani.
Aristogamo. Temo che non farebbe altro che favorire la nascita di una nuova professione: quella dell'auto-accom-
   pagnatore.
Fedro. A proposito, Aristogamo, come va che oggi sei solo
   e non hai con te il tuo amico Meneandro?
Aristogamo. Sono venuto qui, al portico di Zeus Libera-
   tore, proprio perché ho un appuntamento con lui.
Fedro. Avete già un programma per il resto della giornata, o
   potete restare a conversare in nostra compagnia?
Aristogamo. No. Meneandro verrà con la sua auto, una
   Land-Rover, per poi portarmi a Falero a mangiare il
   pesce in una trattoria dove, a suo dire, si mangia benissimo.
Socrate. Ho scorto Meneandro proprio questa mattina mentre, in un piccolo spiazzo accanto al tempio di Artemide, stava lavando con uno shampoo la sua auto. Non
   credo che Meneandro abbia mai avuto tanta cura per

se stesso, né per la propria moglie, la povera Calimno. Dopo aver asciugato la macchina con un pezzo di porpora di Tiro, egli arretrava di qualche metro per poterla meglio contemplare, quindi si protendeva di nuovo su di essa e la carezzava con dolcezza in ogni interstizio come se fosse stata un'amante. Ho visto molti schiavi affaccendarsi come Meneandro, ma nessun ateniese dabbene fare altrettanto. Ogni volta che toccava l'auto era evidente che il contatto gli procurava un estremo piacere, simile a quello che debbono provare i sacerdoti di Pallade quando viene dato loro il permesso di toccare la statua della Dea.

Fedro. Molti ad Atene amano la propria auto in questo modo, o Socrate, non vedo perché te ne meravigli tanto.

Socrate. Mi dispiace deluderti, caro Fedro, ma non riesco proprio a capire questo sentimento. Confesso le mie debolezze: ammiro il seno di Frine e posso cedere ai desideri della carne guardando il corpo del figliuolo di Clinia, ma non credo che potrei mai trovare una «fuoristrada» più desiderabile di Frine o di Alcibiade.

Aristogamo. Ogni generazione ha i suoi feticci, i suoi miti. Forse, carissimo Socrate, tu sei semplicemente vecchio.

Socrate. Tu piuttosto, Aristogamo, che lavori nell'industria automobilistica, perché non ti dài da fare con la tua società per migliorare questa tremenda cosa che è l'automobile?

Aristogamo. Cosa vuoi più migliorare? Ormai l'auto ha raggiunto il massimo della perfezione.

Socrate. Niente affatto: io penso che sia del tutto sbagliata e sarei in grado di dimostrartelo, sempre che tu abbia però voglia di ascoltarmi.

Aristogamo. Come ti ho già detto prima, sono qui in attesa di

Meneandro. Non avendo nulla da fare, non vedo un motivo per non ascoltare le tue fantasticherie.

Socrate. Il maggior difetto di tutte le auto è il paraurti.

Aristogamo. Il paraurti? E perché mai?

Socrate. Perché così come è concepito non è più uno strumento di difesa, come immagino dovrebbe essere, ma bensì uno strumento di offesa, al punto che sarebbe più giusto chiamarlo «provocaurti».

Aristogamo. Spiegati meglio, o Socrate!

Socrate. A mio avviso, per legge, i paraurti di tutte le macchine dovrebbero essere posizionati alla stessa altezza da terra proprio per svolgere al meglio la loro funzione. Altrimenti accade che il paraurti di un'auto offende la carrozzeria di un'altra auto, e viene a sua volta offeso dal paraurti di quest'ultima. Dico bene, o Fedro?

Fedro. Dici bene, o Socrate.

Socrate. Di questi argomenti se ne dovrebbe occupare addirittura Pericle, quando viene invitato a sedersi tra i rappresentanti dell'Onu. E dal momento che questa organizzazione internazionale e altre consimili nulla riescono a combinare in materia di grandi problemi, si occupino almeno di queste piccole cose. Il paraurti, per far bene il suo lavoro, dovrebbe sempre scontrarsi con un altro paraurti. In caso contrario esso si comporterebbe come uno di quei rostri che Caio Duilio appose alle navi romane per meglio sconfiggere i cartaginesi. E dal momento che dobbiamo disegnare l'auto del futuro, consentitemi di esporre tutte le mie innovazioni.

Fedro. Parla, o Socrate, che le tue riflessioni possono essere molto di aiuto a chi, come me, si appresta proprio a comprare una macchina.

Socrate. Primo: un'auto deve disporre di soli due posti e non deve essere più lunga di quanto oggi non siano larghe le altre auto, in modo da poterla sempre parcheggiare con il muso contro il marciapiede. Molti credono che un'auto grande sia più comoda di una piccola, laddove la vera comodità di un'auto si misura dalla facilità con la quale si riesce a parcheggiarla.

Aristogamo. E se uno deve fare un viaggio con tutta la famiglia?

Socrate. Si chiede in primo luogo se effettivamente deve fare questo maledetto viaggio, dopo di che, in caso di risposta affermativa, prende il treno o l'aereo con i soldi che ha risparmiato comprando un'auto più piccola.

Aristogamo. Temo, o Socrate, che tu faresti fallire in breve tempo l'industria dell'auto.

Socrate. Secondo: la velocità dell'auto non dovrà mai superare i sessanta chilometri orari. Oggi vengono costruite macchine in grado di superare i duecento chilometri all'ora. Adesso io vorrei sapere una cosa dalle case costruttrici e dalle autorità competenti: dal momento che le Leggi dello Stato vietano di superare i centoquaranta chilometri l'ora, anche sulle autostrade, in quale luogo della Terra queste auto potranno mai sfruttare tutta la loro potenza?

Aristogamo. Le leggi vietano la velocità effettiva, non quella potenziale.

Socrate. Tu sai come io la penso sulle Leggi. Se un giorno, percorrendo l'autostrada Atene-Maratona a duecento chilometri l'ora, le Leggi mi sorpassassero e, dopo avermi fermato, mi dicessero: «O Socrate, che cosa avevi in mente di fare viaggiando in codesto modo? Non mediti forse, con questa tua velocità eccessiva, di distruggere noi, le Leggi, e con noi l'intera nazione? Sai tu che ogni anno, in questo paese, muoiono ben ottomila persone in incidenti automobilistici? Puoi dirci che cosa ne farai tu adesso dei sette minuti che hai guadagnato viaggiando a duecento chilometri l'ora?», ebbene, Aristogamo, io ti chiedo: che cosa risponderemmo noi a queste e ad altre simili parole?

Aristogamo. Tu ragioni, o Socrate, sempre in termini utilitaristici e sottovaluti il piacere del superfluo, l'ebbrezza della velocità, il brivido della conquista del limite, la purezza di un profilo aerodinamico. L'auto che tu desideri è un carretto condotto da un somaro.

Socrate. Non proprio, e adesso proverò a descrivertela. L'auto, che secondo i miei intendimenti è depositata nel Mondo delle Idee del mio allievo Platone, è circondata da ogni lato da un robusto paraurti di gomma, largo venti centimetri e spesso altrettanto.

Aristogamo. Ma codesta macchina che tu descrivi già esìste nella realtà e la si trova negli autoscontri dei Luna Park! Tutti si vergognerebbero a farsi vedere su un'auto simile!

Socrate. Ma in compenso migliorerebbe l'umore degli automobilisti. Oggi tutti quelli che guidano un'auto nel traffico hanno costantemente un'espressione truce dipinta sul volto: temono il contatto con le auto vicine e vedono negli altri automobilisti altrettanti nemici da cui difendersi. Con il mio cordolo di gomma, invece, fallirebbero i carrozzieri e diminuirebbero i costi delle assicurazioni. Potrebbe essere addirittura divertente urtarsi l'un l'altro durante le soste ai semafori. Ma ecco Meneandro che si avvicina con la sua macchina.

Fedro. O Meneandro, eravamo in tua attesa e io, in particolare, ero molto curioso di vedere la tua auto. Dimmi tutto quello che sai di questa macchina, in modo che io me ne possa fare un'opinione.

Meneandro. È una Land-Rover, una «fuori-strada».

Socrate. Che vuol dire: «fuori-strada»?

Meneandro. Sta a significare che quest'auto può camminare agevolmente anche quando non si trova su di una strada asfaltata.

Socrate. E fino a oggi hai molto camminato fuori strada?

Meneandro. No, mai.

Socrate. E allora perché hai comprato una «fuori-strada»?

Meneandro. Perché è molto più bella di una macchina comune.

Socrate. Temo di non capire i giovani d'oggi. Ma credo che come al solito Parmenide possa venire in mio aiuto.

Meneandro. Anch'io provo una qualche difficoltà a capirti, o Socrate. Cosa c'entra adesso questo Parmenide con i nostri discorsi?

Socrate. Parmenide è un vecchio filosofo italiano, mio amico, che ha la strana mania di classificare ogni azione umana e ogni oggetto che vede tra le cose che sono o tra quelle che non sono. Ebbene io, anche senza interrogarlo in proposito, sono sicuro che, se fosse qui con noi, classificherebbe la tua Land-Rover tra le cose che non sono.

Meneandro. Vuoi scherzare? Di' al signor Parmenide che la mia Land-Rover è un'auto che sicuramente è, dal momento che costa ben quattro talenti e che tutti i giovani di Atene me la invidiano. Infine, se gli fosse rimasto ancora qualche dubbio, venga con me a farsi un giretto fuori città e gli mostrerò come tiene la strada nelle curve e come raggiunge facilmente i centocinquanta chilometri l'ora.

Socrate. Non credo che Parmenide misuri il valore dell'essere con i talenti e meno che mai con la velocità. Anzi, a questo proposito, è addirittura convinto che la tua macchina non riesca a mettersi in moto. Parmenide, infatti, nega l'esistenza del movimento.

Meneandro. Questo Parmenide deve essere un pazzo. Se gli sei veramente amico portalo da Ippocrate perché lo faccia rinsavire.

Socrate. La prima domanda che ti farebbe, se avesse modo di interrogarti, sarebbe questa: «Che cosa è un'automobile?».

Meneandro. E io gli risponderei: è un mezzo di trasporto semovente munito di ruote e di alcuni accessori utili alla manovra, come a esempio il volante, il freno, l'acceleratore e così via.

Socrate. Benissimo. Ma anche una piccola 126 Fiat, che costa solo poche mine, ha tutti questi accessori, o sbaglio?

Aristogamo. Dici il giusto, o Socrate.

Socrate. E allora perché tu Meneandro hai speso quattro talenti per comprare un'auto che ha gli stessi requisiti di un'altra macchina che costa solo poche mine?

Meneandro. Ma che discorsi vai facendo, o Socrate! Hanno proprio ragione quelli che ti chiamano «il pazzo di Alopece». Paragonare la mia Land-Rover a una 126! È come dire che la tua Santippe e la Dea Afrodite sono la medesima donna solo perché hanno entrambe lo stesso numero di membra! Tu non tieni conto della bellezza, del comfort e soprattutto del prestigio che un'auto come la Land-Rover può dare al suo proprietario.

Socrate. Ed è qui che ti aspettavo, mio giovane amico. Ho fatto come Orione che, di notte, si acquatta nei pressi

dello stagno, per catturare il cinghiale. In questo caso
lo stagno è stato la parola «prestigio». Se ho ben capito,
tu pensi che gli ateniesi, alla vista della tua Land-Rover, dovrebbero tutti esclamare: «O quanto è bella questa macchina! Chi sarà mai il suo proprietario?» e che
qualcuno dirà loro: «Ma è Meneandro il padrone di
questa macchina, il magnifico e illustre Meneandro!».
E così accadrebbe che le maggiori qualità dell'oggetto
verrebbero riflesse sul suo padrone. Ne deduco quindi
che tu hai speso quattro talenti per sembrare migliore,
ovvero per apparire agli altri più degno di stima.

Meneandro. E cosa c'è di male nel voler desiderare la stima
del prossimo?

Socrate. Nulla se la stima è per la tua persona, tutto il male
possibile invece se la stima è indirizzata verso la tua
auto. So che anche Aristippo ha un'auto e che su di
essa ha montato un telefono...

Meneandro. Sì: ha una Mercedes turbo.

Socrate. Ora io mi chiedo: cosa se ne fa Aristippo di un telefono in macchina, dal momento che è un debosciato,
che non lavora e che vive di rendita?

Meneandro. Immagino che se ne servirà per telefonare.

Socrate. E deve telefonare per forza mentre guida? Non
può, come tutti i mortali, fermare un attimo l'auto e
andare nel primo bar che gli capita a tiro? È forse Aristippo un agente di borsa, un industriale, un medico,
per il quale ogni secondo di ritardo potrebbe essere fatale? La verità è che il telefono in macchina sostituisce
agli occhi degli altri quelle doti che Aristippo sa di non
possedere. Qui il dilemma è se sia preferibile il sembrare o l'essere e a me pare che Aristippo abbia deciso
per il sembrare.

Meneandro. Continuo a non capirti, o Socrate. Io so solo che amo quest'auto sopra qualsiasi altra cosa al mondo.

Socrate. E pensare che Meleto accusa me, pubblicamente, di fabbricare nuovi Dei!

Aristogamo. Tu, o Socrate, commetti un grave errore nel giudicare il prossimo: pensi che tutti gli uomini dovrebbero sempre avere degli alti ideali da perseguire e per i quali, magari, essere disposti a sacrificare la vita. Orbene, sappi che esistono persone semplici che, senza fare del male a nessuno, prendono la vita come viene, vivendola alla giornata e nutrendosi di piccoli obiettivi. Il fatto che Meneandro in questo momento si sia invaghito della propria auto ti reca forse qualche danno?

Socrate. A me nessuno, ma a lui stesso moltissimi. Il modo di vivere che tu mi descrivi è abbastanza diffuso tra gli uomini. I filosofi di Torino lo hanno classificato come «teoria del pensiero debole». Quelli di Neapolis, che sono meno intellettuali, e che per questo vengono criticati, lo hanno messo addirittura in versi: «*Basta ca ce sta 'o sole / basta ca ce sta 'o mare / 'na nenna accore accore / e 'na canzone pe' cantà / chi 'a avuto, 'a avuto 'a avuto / e chi 'a dato, 'a dato, 'a dato / scurdammoce 'o passato / simme 'e Napule paisà*». Ciò non toglie che una vita fatta di piccoli obiettivi allontana l'uomo dalla felicità.

Meneandro. Io sono felice con la mia Land-Rover.

Socrate. È la prima auto che possiedi?

Meneandro. No, prima avevo una Porsche.

Socrate. E hai amato la Porsche?

Meneandro. Sì, l'ho amata.

Socrate. E perché l'hai cambiata con la Land-Rover?

Meneandro. O bella! Perché trovo migliore la Land-Rover.

Socrate. E prima della Porsche, avevi un'altra auto?

Meneandro. Sì, avevo una Bmw. Ma perché continui a farmi queste domande senza costrutto?

Socrate. Perché penso che sia più felice un uomo che si serve sempre della stessa auto, magari un'utilitaria, che non un uomo posseduto da un Demone che lo costringe continuamente a cambiare. Tu, Meneandro, non te ne sei accorto ma stai versando vino in un orcio bucato. Versi sempre e non bevi mai! Ora che hai finalmente ottenuto la tua nuova macchina non senti come un vuoto dentro di te?

Meneandro. E pensi che se avessi solo una 126 sarei felice?

Socrate. Basta una piccola ciotola per bere e, a volte, anche il cavo della mano.

Fedro. Da quanto tu dici, o Socrate, io allora non dovrei più comprare alcuna macchina, perché, una volta soddisfatto il mio desiderio, verrei subito preso da un altro desiderio ancora più costoso.

Socrate. L'Avere non concede tregue ai suoi seguaci. Ciò nonostante, o Fedro, tu puoi comprare lo stesso la tua auto; l'importante è che non ne divenga schiavo. Sappi comunque che non sarà certo un'automobile a farti fare il più importante dei tuoi viaggi: quello che, partendo dal posto in cui ti trovi ora, raggiunge l'interno di te stesso.

L'ultimo miracolo di San Gennaro

Due anni di permanenza a Napoli e di sodalizio con Bellavista avevano trasformato Cazzaniga in un'altra persona. Se non fosse stato per una « e » che continuava a essere un po' troppo larga per un meridionale, lo si sarebbe potuto quasi scambiare per un borghese napoletano, uno di quelli che la domenica mattina, prima di andare a messa a Santa Caterina, si comprano le sfogliatelle da Pintauro. Ormai il dottor Cazzaniga di una volta era solo un ricordo e quello nuovo non perdeva occasione per scambiare due chiacchiere con Salvatore, per parlare dell'Inter e del Napoli con Saverio e per lamentarsi del traffico cittadino con chiunque gli capitasse a tiro. In portineria poi si divertiva come non si era mai divertito in vita sua: ogni sera, di ritorno da Pomigliano, invece di salire subito in casa, citofonava alla moglie per informarla che era arrivato e si precipitava in portineria per far salotto con il professore.

*

« Di che si discute? » chiede Cazzaniga.

« Parliamo di miracoli » risponde Saverio.

« Di miracoli? » ripete Cazzaniga, guardando Bellavista per una conferma.

« Sì, di miracoli » ribadisce il professore. « Dottore, lei ha mai visto da vicino il miracolo di San Gennaro? »

« No. Perché, si può vedere? »

« Certo che si può vedere. Il Santo scioglie il sangue due volte l'anno: il 19 settembre e il primo sabato di maggio, ed è quasi sempre puntuale, comunque più puntuale di un rapido Napoli-Milano. »

Cazzaniga è perplesso: teme che lo si voglia prendere in giro. Poi si fa coraggio e chiede:

« E la Chiesa che dice? »

« La Chiesa è prudente: dice e non dice » risponde Bellavista. « La Curia di Napoli ci crede, quella di Roma un po' meno. »

« Ma è veramente esistito un santo chiamato Gennaro? »

« Altro che se è esistito. Era anche nobile, discendente da una celebre famiglia romana: i Gianuarii. »

« Se non sbaglio fu decapitato? » chiede Cazzaniga.

« Fu sottoposto a molti martirii » risponde il professore. « Al fuoco, all'aculeo, *ad bestias*, e infine decapitato. Al riguardo le fonti non sono sempre in accordo fra loro. Quello che si sa di sicuro è che fu giustiziato nel 305 dopo Cristo. San Gennaro a quell'epoca viveva a Benevento ed era un giovane vescovo. Un giorno – aveva appena finito di dir messa – gli comunicarono che un suo collega, tale Sossio, vescovo di Nola, era stato imprigionato e sottoposto a tortura. Lui ne fu molto contento e decise sull'istante di andargli a fare una visita in carcere insieme ai suoi aiutanti, il diacono Festo e il lettore Desiderio. È inutile precisare che i soldati romani, appena li videro arrivare a Nola. non esitarono un istante a sbatterli tutti e tre in galera. »

« Professore, lei a proposito dell'arresto di Sossio ha detto che San Gennaro "ne fu molto contento". In che senso, scusi? » domanda Cazzaniga alquanto sorpreso.

« Sissignore, ne fu molto contento. Negli Atti Bolognesi è scritto proprio così: "Egli ne godette e corse a consolarlo". Ma per capir bene il significato di questa frase, bisognerebbe sapere che cosa è stato il IV secolo dopo Cristo. Diciamo

subito che è stato il secolo dei martiri. Nel 303 l'editto di
Diocleziano aveva dato il via alla Grande Persecuzione. Nella sola Nicomedia, la città scelta dall'imperatore come resi-
denza, furono sgozzati ventimila cristiani. Quasi mezzo milione in Egitto. In Frigia una città fu circondata e data alle
fiamme con tutti gli abitanti, cristiani e non cristiani. A Lute-
tia Parisiorum, che poi sarebbe l'attuale Parigi, i cristiani
seguaci di Dionigi bagnarono di sangue un'intera collina, oggi nota come Montmartre, ovvero Monte dei Martiri. L'editto di Diocleziano prescriveva la massima crudeltà nelle ese-
cuzioni. Un comma dell'editto prescriveva che "Ovemai il
torturatore fosse stato troppo mite, sarebbe stato a sua volta
torturato". »

« *Mamma d'o Carmene!* » esclama Saverio. « Questi antichi romani erano veramente una massa di fetenti! »

« Sì, e la risposta dei cristiani fu ancora più radicale. Dissero i perseguitati: "Voi ci volete torturare? Benissimo, però
per cortesia torturateci quanto più a lungo possibile!". Sor-
sero così da ogni parte sètte cristiane che avevano come unico scopo della vita il martirio. Prendiamo il caso di San Simeone lo stilita. All'inizio fondò la setta degli *acemeti*, alla
lettera "quelli che non dormono". Era un piccolo gruppo di
fedeli che avevano deciso di trascorrere la vita in preghiera
continua, rinunciando pure al sonno. »

« E come può essere! » chiede Salvatore.

« Non appena uno reclinava la testa per il sonno, il vicino
lo toccava per farlo continuare a pregare, finché non crolla-
vano al suolo tutti insieme contemporaneamente. Il primo
però che riusciva a svegliarsi andava a scuotere tutti gli altri
per ricominciare con le preghiere. Simeone fu cacciato dai
compagni perché troppo intransigente nell'applicazione della
regola. »

« Secondo me, » dice Salvatore « a un certo punto qualcuno deve avergli detto: "*Simeò, c'e rutto 'o cazzo: facce
durmì!*". »

« Allora, Simeone se ne salì su una colonna alta dieci metri e lì rimase per trent'anni a pregare il Signore. »

« E per mangiare come faceva? »

« Aveva un cestino con una corda... »

« *'Nu panariello?* »

« Sì: lo calava giù e si affidava alla bontà dei passanti. »

« Certo che adesso una cosa così non si potrebbe fare » commenta Saverio. « Facciamo conto che io volessi diventare Saverio lo stilita e me ne salissi sulla Colonna dei Caduti che sta a piazza Vittoria: dopo dieci minuti arriverebbero i pompieri per farmi scendere. »

« Professò, » chiede Luigino « che significa: *ad bestias*? »

« Vuol dire "esposto alle bestie". Nel nostro caso quattro cristiani, Gennaro, Sossio, Festo e Desiderio, furono dati in pasto agli orsi in mezzo all'arena dell'anfiteatro di Pozzuoli. Gli orsi però si accucciarono ai piedi di San Gennaro come tanti cagnolini e cinquemila puteolani si convertirono alla religione cristiana. Allora Timoteo, il governatore romano della zona, furioso per il mancato spettacolo, condannò i quattro martiri a qualcosa di più definitivo: la decapitazione, e già che c'era, comandò che fossero decapitati anche tre spettatori che avevano protestato. Oggi il miracolo avviene contemporaneamente in tre luoghi: a Napoli, con lo scioglimento del sangue, a Pozzuoli, con l'arrossamento della pietra dove fu decapitato il Santo e a casa di Francesco Caravita principe di Sirignano, sulla cui nuca, due volte l'anno, appare una linea rossa e sottile. »

« Ma come si fa ad assistere al miracolo? » chiede Cazzaniga.

« È semplicissimo » risponde Bellavista. « Sabato prossimo è il primo sabato di maggio. Verso le cinque del pomeriggio, dal Duomo, parte una processione con la statua del Santo che, percorrendo Spaccanapoli, arriva a Santa Chiara. Qui, nella chiesa, avviene il miracolo. »

« Purtroppo, » sospira il dottor Cazzaniga « io sabato sera debbo andare a Milano. »

« A che ora avete l'aereo? » chiede Salvatore.

« Alle ventuno. »

« E allora ce la fate benissimo » lo rassicura Salvatore. « Quello San Gennaro, se sa che andate di fretta, il miracolo ve lo fa in quattro e quattr'otto. Poi ci pensiamo noi ad accompagnarvi con la macchina a Capodichino. »

*

È il primo sabato di maggio, il giorno del miracolo. Bellavista e Salvatore sono in attesa di Cazzaniga davanti al portone. Salvatore, non si sa se per rispetto a San Gennaro o perché dopo dovrà andare con il professore ad accompagnare il dottore all'aeroporto, è in giacca e cravatta.

« Questo, se non scende subito, » sospira il vice sostituto portiere « si perde il miracolo e l'aereo per Milano. »

« A che ora comincia la processione? » chiede il professore.

« Alle cinque si muove dal Duomo. Diciamo che massimo alle sei e mezzo arriva a Santa Chiara. Lui poi deve andare a Capodichino. »

« E adesso che ora è? »

« Sono le cinque meno dieci e noi per arrivare a Spaccanapoli, oggi che è sabato, ci mettiamo almeno mezz'ora. »

« Eccolo qua » esclama Bellavista, andando incontro all'amico.

« Vado a Milano solo per un giorno » esordisce Cazzaniga ancora affannato, mostrando la sua ventiquattrore. « Ho una riunione domani mattina alle otto e mezzo. Piuttosto: questo miracolo a che ora si fa? »

« Stanno aspettando solo voi » risponde Salvatore.

I tre uomini entrano nella macchina del professore e si tuffano nel traffico cittadino.

« Dottò, Napoli è sempre rimasta pagana » dice Bellavista mettendo in moto. « Se c'è qualcosa che manca nel sentimento religioso dei miei concittadini è l'idea di Dio. »

« Vuol dire che non sono monoteisti? »

« Sissignore: con Dio hanno pochissima confidenza » continua il professore. « È difficile che lei possa sentire un napoletano esclamare "My God!", come invece usano fare i pro-
testanti. Le nostre richieste di aiuto sono in genere più cir-
costanziate: quasi sempre dirette a Santi di provata efficacia
e comunque specializzati nel tipo di grazia che viene loro richiesta, o tutt'al più ci rivolgiamo alla Madonna con un semplice "Madonna mia, aiutaci tu!". »

« Be' effettivamente, » conviene Cazzaniga « voi napoletani, grazie al santuario di Pompei, avete sempre avuto una
grossa tradizione mariana. »

« Sì, ma non è questo il punto » precisa il professore. « Il
fatto è che la figura della Madonna, vista come Mater Mise-
ricordiosa, è congeniale a un popolo per il quale il perdono
è un bisogno quotidiano. Veda, dottore, la vera caratteristica che distingue il cristianesimo da tutte le altre religioni è
proprio il ruolo affidato alla Madonna. In termini pratici, la
morale di Cristo non si discosta molto da quella di Budda:
uno slogan come "ama il prossimo tuo come te stesso" lei lo
può trovare in ogni religione, così come trova dovunque il
concetto di castigo divino. È l'idea del perdono invece che è
geniale. Un poeta napoletano, Ferdinando Russo, una volta
scrisse una poesia sulla Madonna nella quale racconta che un
giorno Dio comandò che fosse messo in prigione un angio-
letto, "*pecché 'a fatto 'nu peccato*". Inutilmente San Pietro
cerca di convincere Nostro Signore a desistere dalla puni-
zione. "*Nossignore*" dice Dio "*adda sta vintiquattore, 'n pa-
raviso cumanno io!*" Nel frattempo "*l'angiulille, dint'a cella
scura, chiagne, sbatte, dice 'e metterse paura*". Ma la Madonna, quando ognuno sta dormendo a sonno pieno, di nascosto
da tutti va e gli porta i mandarini. »

« Sarà per questo che i napoletani preferiscono chiedere le grazie alla Madonna » commenta Cazzaniga. « Vedono in lei la Mamma della loro infanzia. »

« Qualche volta » dice Salvatore « chiediamo aiuto anche alle anime del Purgatorio. »

« E perché non a quelle del Paradiso? » obietta Cazzaniga. « Dovrebbero essere più introdotte di quelle del Purgatorio. »

« Sì, ma se ne fottono » risponde Salvatore. « Vedete, dottò, le anime del Paradiso oramai sono fuori dalla lotta: vivono in una estasi beata e di quello che succede sulla Terra non *glie passa manco p'a capa*. Quelle del Purgatorio invece stanno soffrendo ancora e hanno bisogno delle preghiere dei parenti per abbreviare l'attesa. Allora si crea, come dire, un regime di mutuo soccorso tra quelli di sopra e quelli di sotto: noi preghiamo per loro, perché gli venga ridotta la pena, e loro pregano per noi, per farci trovare un posto al Comune o per farci vincere un ambo, un primo estratto. »

*

I tre uomini arrivano in via Spaccanapoli quando la processione è già in movimento. Essendo sbucati all'altezza del Monte di Pietà incrociano il corteo più o meno a metà percorso.

« Questo è Sant'Emiddio » dice Salvatore, indicando la statua di un santo che passa in quel momento. « Se ci affrettiamo possiamo ancora raggiungere la testa del corteo. Sant'Emiddio deve essere il quinto o il sesto santo della sfilata. »

« Una volta, » spiega Bellavista « i santi sfilavano a seconda del numero delle grazie che avevano fatto durante l'anno. I preti andavano in giro, s'informavano presso la gente del popolo e poi stilavano una specie di classifica, una Hit Parade della santità. Oggi invece la corte di San Gennaro è costituita solo da cinquanta santi, per ognuno dei quali viene portata in processione una statua d'argento. »

« L'ultimo a sfilare quindi è un santo che non fa grazie? »
chiede Cazzaniga.

« Oggi non è più così, ma si dice che nel secolo scorso
l'ultimo posto fosse sempre di un certo San Cosimo d'Aversa.
Racconta la leggenda che c'era un contadino che aveva un
albero di pere che non dava mai frutti. Dopo un paio d'anni
il contadino si decise ad abbattere il pero e a venderlo a uno
scultore che ne ricavò per l'appunto la statua di San Cosimo.
Tutti ad Aversa andavano in chiesa a chiedere grazie a San
Cosimo, tranne il contadino. *"Te cunosco piro"* diceva lui.
Ovvero: "Ti conosco da quando eri pero. Se non riuscivi a
fare le pere allora, figurati se sei capace di fare le grazie
adesso!". »

Con Salvatore in veste di battistrada e camminando più in
fretta possibile, Bellavista e Cazzaniga cercano di raggiungere la testa del corteo. Per ogni statua che sorpassano il professore ha sempre pronta una storia da raccontare.

« Questo è Sant'Alfonso Maria de' Liguori, santo napoletano, molto amato nella zona dei Tribunali. Sant'Alfonso è il
protettore di chiunque abbia a che fare con la Legge. A di-
ciassette anni era già avvocato e, grazie alla sua parlantina,
vinceva tutte le cause che gli venivano affidate. Un giorno,
aveva appena finito di sostenere l'arringa, quando il suo
cliente si pentì e si dichiarò colpevole. Sant'Alfonso ci rimase
così male che diede subito le dimissioni. Capì che solo la Giustizia Divina poteva essere perfetta. »

« A me Sant'Alfonso mi scansa da tutte le multe per di-
vieto di sosta » dice Salvatore.

« Questo qui è San Gaetano, » continua il professore « un
santo che non ha mai avuto molta fortuna da queste parti.
Il papa lo mandò a Napoli come missionario, ma i napoletani
lo rispedirono a Venezia: era un prete troppo umile, troppo
malvestito, troppo diverso da quelli a cui erano abituati a
quei tempi. Non ci dimentichiamo che con San Gaetano sia-

mo in pieno Rinascimento. "Pazienza," disse il santo, "Dio è a Venezia come a Napoli." »

« E questo chi è? » chiede Cazzaniga al passaggio di un'altra statua.

« È San Crispino » risponde Bellavista. « Insieme a suo fratello Crispiniano viene considerato il protettore dei calzolai. Crispino e Crispiniano erano scappati da Roma a seguito dell'editto di Diocleziano. Si stabilirono in Francia, in un paese che si chiamava Soissons, e lì si dice che riparassero le scarpe gratis a chiunque si fosse convertito alla religione cristiana. Comunque neanche a loro andò molto bene: furono raggiunti dai soldati romani e decapitati sulla pubblica piazza. Se non sbaglio le loro reliquie sono custodite a Parigi, nella chiesa di Notre-Dame. »

« Anche loro sciolgono il sangue? » chiede Cazzaniga che ormai non si meraviglia più di nulla.

« Nossignore: i santi che sciolgono il sangue sono solo undici in tutto il mondo e dieci di loro stanno a Napoli. »

« E l'undicesimo chi è? »

« È San Pantaleone e scioglie il sangue in un paese che sta a pochi chilometri da Napoli. »

Cazzaniga non può fare a meno di ridere per questa alta concentrazione di miracoli nel Napoletano e domanda a Bellavista:

« Professore, non le viene mai il dubbio che i suoi concittadini siano troppo creduloni? »

« Perché credono in San Gennaro? » chiede di rimando Bellavista. « Be', probabilmente un po' ingenui lo sono, ma di sicuro non superano in credulità la media nazionale. Non so se si è accorto che quasi tutti gli italiani oggi giurano sui segni zodiacali. Perfino alcuni severi servizi di Stato, come la Sip e il Telegiornale, trasmettono ogni giorno gli oroscopi, proprio come se fossero notizie degne di fede. Allora io mi chiedo: ma è più ingenuo un napoletano che crede in San Gennaro, perché ha visto con i suoi occhi il sangue del mar-

tire sciogliersi nell'ampolla, o l'italiano medio che è convinto
che nella prossima settimana incontrerà il suo Grande Amore, solo perché Venere sta entrando nella Bilancia, e perché
lui è nato alle nove del mattino invece che alle dodici? »

Uno scrosciare di applausi interrompe il professore: sta
passando la statua d'argento di Sant'Antonio Abate.

« Questi applausi non li deve contare » dice Bellavista a
Cazzaniga. « Sono applausi di parte: è gente del Borgo
Sant'Antonio Abate che inneggia al proprio santo protettore. Ancora oggi a Napoli c'è gente che rifiuta San Gennaro
come santo patrono. La storia è vecchia, risale addirittura al
'99, alla rivoluzione giacobina. Quando i francesi entrarono
a Napoli, San Gennaro si rifiutò di fare il miracolo, quasi
come se avesse voluto protestare per la cacciata dei Borboni.
Allora il generale Championnet, temendo una rivolta popola-
re, pensò bene di entrare nel Duomo e di minacciare con una
pistola il cardinale che aveva in mano le ampolle. Ora non si
sa bene come siano andate le cose: se sia stata la paura a far
tremare la mano del cardinale o se sia stato San Gennaro a
volergli salvare la vita, certo è che il sangue si sciolse da lì a
pochi secondi. Il popolo, che non aveva mai capito gl'intellettuali napoletani e che parteggiava per il re, se la prese con
San Gennaro perché aveva fatto il miracolo e, non appena i
francesi si ritirarono, lo sostituì col suo diretto rivale, con
Sant'Antonio. Benedetto Croce racconta che in quei giorni
venne esposto un quadro in rua Catalana dove si vedeva
Sant'Antonio Abate frustare San Gennaro senza alcuna
pietà. »

« Anche Sant'Antonio era un santo napoletano? »

« Nossignore, e non si mosse mai dall'Africa » risponde
con sicurezza il professore. « Sant'Antonio Abate, detto anche "il Grande" per distinguerlo da quello di Padova... »

« ...che è piccolo » precisa Salvatore.

« ...nacque in Egitto nella metà del III secolo. A venti
anni sentì il bisogno di una vita ascetica, regalò tutti i suoi

averi ai poveri e se ne andò a vivere in una tomba violata della Valle dei Re. »

« Professò, » dice Salvatore « scusate se v'interrompo, ma
è da parecchio tempo che non si fanno più nuovi santi, è
vero? »

« Be', il processo di santificazione è una cosa molto
lunga. »

« No, dico questo » precisa Salvatore « perché da quando
sono vivo io non ho mai sentito dire che a Napoli ci sia stato
qualcuno che per diventare santo abbia regalato tutti i suoi
averi ai poveri. »

« Mi stava parlando di Sant'Antonio » dice Cazzaniga a
Bellavista, dopo aver guardato Salvatore con aria di rimprovero.

« Dunque, come stavo dicendo, Sant'Antonio si chiuse in
una tomba abbandonata, poi, ritenendo questo rifugio troppo
lussuoso per un asceta del suo stampo, si addentrò nel deserto e lì rimase a pregare fino all'età di cento anni. Come abbia
potuto sopravvivere per tutto questo tempo resterà sempre un
mistero. La fama di santo se la guadagnò per le sue celeberri-
me battaglie con il Demonio. Subì tutte le tentazioni possibili, quelle della sete, quelle della fame e quelle della carne.
Pare che mentre pregava su una stuoia, gli uscissero da sotto
al tappeto due bellissime donne nude. La leggenda racconta
che Sant'Antonio era sempre lì lì per cedere, ma che ogni volta riusciva a sconfiggere *lu Dimmonio*. Si dice che prima
di morire abbia detto a Gesù: "Dov'eri tu quando lottavo
con il Demonio? Perché non mi sei stato vicino durante la
prova?", e che Gesù abbia risposto: "Ero lì accanto a te,
Antonio, ma volevo vederti vincere da solo". »

« È strano però che i napoletani si siano affezionati a un
eremita così poco socievole come Sant'Antonio » dice Cazzaniga. « Avesse vissuto a Napoli lo avrei capito, ma dal
momento che lei mi assicura che non si è mai mosso dall'A-
frica, non capisco perché... »

« No, a Napoli accade spesso che ci si leghi a un santo straniero » continua Bellavista. « Prendiamo il caso di San Vincenzo Ferreri detto "il monacone": San Vincenzo visse in Spagna e non venne mai a Napoli, eppure c'è un quartiere napoletanissimo, la Sanità, che lo considera più importante di San Gennaro e di Sant'Antonio messi insieme. San Vincenzo era un predicatore domenicano, forse il più grande che la Chiesa abbia mai avuto. Quando predicava le chiese non erano sufficienti a contenere il numero di fedeli che venivano ad ascoltarlo, per cui il poverino era costretto a parlare sempre all'aperto, al centro di grandissime piazze. Ci si chiede: ma come faceva a farsi sentire senza disporre di un altoparlante? Sfruttava il vento per trasportare la voce più lontano possibile. Una banderuola, posta accanto a lui, indicava al pubblico quale fosse la direzione del vento. »

« E i napoletani perché lo amano? »

« Perché non aveva fiducia nei medici. Si racconta che un giorno stava per morire quando venne un medico per visitarlo. Lui lo cacciò subito dicendogli: "Chi ha Dio nel cuore non ha bisogno di medicine". Il mattino dopo era guarito. Oggi le donne della Sanità gli affidano la salute dei figli e, a guarigioni avvenute, durante le feste in suo onore, portano i bambini vestiti da monaco per mostrarli al santo. »

« E le risulta che funziona? » chiede Cazzaniga.

« Meglio delle Usl » risponde Salvatore.

*

Entrando in chiesa, Bellavista si rende subito conto che quel giorno Cazzaniga rischia di non vedere il miracolo: la navata centrale ormai rigurgita di gente e tutte le cappelle laterali sono totalmente occupate dalle delegazioni dei santi della Corte di San Gennaro. Il professore però non è persona che si spaventa per così poco: decide immediatamente di aggirare il nemico alle spalle.

« Dobbiamo tentare un'altra strada » dice a Cazzaniga. « Entriamo dal Chiostro maiolicato e da lì, passando per il coro delle Clarisse, sbuchiamo proprio alle spalle dell'altare. »

« E ci faranno passare? » chiede Cazzaniga, giustamente preoccupato.

« A Napoli si trova sempre un santo, un parente o un amico che in qualche modo ti fa passare » risponde Bellavista.

Il professore parte deciso e guida gli amici alle spalle del Monastero. Giunto presso un vecchio portone *bussa* senza esitare il campanello.

« Siamo "persone" della famiglia Imperiali, » dice al monaco che gli viene ad aprire il portone « vorremmo poterci avvicinare all'altare. »

Il monaco lo guarda per un attimo, come se volesse soppesare più la persona che la vantata amicizia, dopo di che se ne va biascicando un indecifrabile « aspettate qui ».

« Che c'entra la famiglia Imperiali? » chiede Cazzaniga, ormai desideroso di conoscere tutto quello che ha a che fare col miracolo.

« È una delle dieci famiglie nobili che formano la Reale Deputazione del Tesoro » risponde il professore. « Tutte le manifestazioni inerenti il culto del Santo sono affidate, per antichi decreti reali, ai dodici rappresentanti dei Sedili, dieci Sedili per la nobiltà e due per il popolo. Io conosco gl'Imperiali di Francavilla, persone amabilissime e degne di stima. »

Cazzaniga intanto dà uno sguardo all'esterno del Monastero.

« È molto bella questa chiesa: ha un aspetto severo, oserei dire quasi povero. »

« Sì, » risponde Bellavista con entusiasmo « è la più francescana e forse per questo la più bella di tutte le chiese italiane. Se la fece costruire nel Trecento Roberto d'Angiò per seppellirvi la famiglia. Anche a quell'epoca doveva essere così essenziale, così disadorna. Si racconta che il figlio del re, il giovane e raffinato principe Carlo, dopo averla visitata, abbia detto al padre: "Il corpo centrale sembra una stalla e le cappelle laterali tante mangiatoie". Al che Roberto d'Angiò gli avrebbe risposto: "Attento a te, principino, a non essere il primo a dover mangiare in una di queste cappelle". »

In quel momento il monaco ritorna e, sempre con l'indifferenza di prima, dice:

« Venite con me. »

« Senta, » gli chiede allora Cazzaniga camminandogli a fianco « ma in confidenza, secondo lei questo miracolo è vero? »

« Succede » è la risposta del monaco.

*

Il cardinale alza la teca al di sopra della testa e mostra al popolo le ampolle con il sangue ancora raggrumato. All'interno della teca, che è una specie di scatola d'argento circolare protetta da due vetri, ci sono due bottigline, una grande e una piccola. La più grande è piena per tre quarti di un liquido bruno. « A vederla così, » pensa Cazzaniga « sembrerebbe caffè. » Il monaco ha sistemato Bellavista e i suoi amici sulla destra dell'altare, alle spalle di un gruppo di monache in preghiera.

« Voi qui siete tutti venuti a vedere il miracolo del sangue, » dice il cardinale rivolgendosi alla folla « ma io vi chiedo: è lo spettacolo che v'interessa o volete effettivamente partecipare a un mistero divino? Perché se è solo il fenomeno paranormale ad attirare la vostra attenzione, allora mi dispiace dirvi che potete ritornare a casa: non è lo scioglimento di questi pochi grammi di sangue che potrà salvarvi l'anima, bensì lo scioglimento degli egoismi che sono ancora rinchiusi all'interno dei vostri cuori. Ecco perché v'invito a concentrarvi sui vostri peccati e a pregare tutti insieme: "Io credo in Dio Padre onnipotente...".»

« Professò, » bisbiglia Salvatore « oggi ho paura che la faccenda vada per le lunghe. Gli altri anni a quest'ora il sangue si era già sciolto. »

Il dottor Cazzaniga, un po' preoccupato per l'aereo, dà uno sguardo all'orologio:

« Se tra venti minuti non è successo niente, me ne vado a prendere un taxi. »

« Ma quale taxi, dottò, » esclama Salvatore « miracolo o non miracolo a Capodichino vi accompagniamo noi. »

« Io ho una mia teoria sul miracolo di San Gennaro » mormora Bellavista.

« E sarebbe? » chiede Cazzaniga.

« Dottore, lei deve sapere che sul sangue del Santo sono stati eseguiti tutti gli accertamenti possibili, ovvero tutto quello che si poteva fare senza rompere le ampolle. Analisi spettroscopiche, condotte dal professor Lambertini, titolare a Napoli della cattedra di Anatomia, hanno dimostrato che si trattava di sangue umano. Ciò nonostante i denigratori del miracolo hanno avanzato le ipotesi più fantasiose: è il calore della mano del cardinale a far sciogliere il sangue, no è il calore delle candele, nossignore, è una mistura di sapone e ammoniaca, no è un intruglio di gelatina e cinabro... insomma ognuno ha detto la sua: c'è stato perfino il partito della cioccolata... »

Il cardinale avverte che alla sua sinistra c'è qualcuno che parlotta e lancia un'occhiata di rimprovero a Bellavista. Il sangue è ancora lì nella teca, duro come un sasso, e non si muove. Il cardinale alza di nuovo la teca al di sopra della testa e, inclinandola da una parte soltanto, mostra che il sangue non si è sciolto.

« Qualcuno crede di essere a teatro » tuona il cardinale « e non sa, o finge di non sapere, che la Chiesa è stata creata proprio con il sangue dei suoi martiri. Oggi è facile dichiararsi cristiani. Ai tempi di San Gennaro lo era molto meno. Ma ricordatevi: una cosa è dire "sono cristiano" e una cosa è "essere veramente cristiano"... »

« Che diceva il partito della cioccolata? » chiede Cazzaniga abbassando al massimo la voce.

« Che all'interno delle ampolle c'è un miscuglio di cioccolata in polvere, acqua, zucchero, caseina, siero di latte e sale da cucina. Fu un professore dell'Università di Napoli, un certo Albini, a preparare questa miscela verso la fine del secolo scorso e bisogna dire che, effettivamente, l'illustre chimico riuscì a mettere insieme una cosa che vista dall'esterno sembrava solida e che a scuoterla diventava subito liquida. L'obiezione principale rivolta ad Albini fu che nel Quattrocento, quando si manifestò per la prima volta il miracolo di San Gennaro, la cioccolata non era ancora arrivata dall'America. »

« E quale sarebbe invece la sua teoria? »

« Io vorrei poter fare un esperimento che nessuno ancora ha provato. »

« E cioè? »

« Prendere il sangue di una persona qualsiasi, farlo coagulare e poi esporlo alla folla in una teca uguale a quella di San Gennaro. »

« Lei pensa allora che siano i napoletani con la loro energia psichica a determinare lo scioglimento del sangue? »

« Proprio così. Sono convinto che tremila napoletani del popolo, tutti tesi a desiderare uno stesso evento, possano provocare un mutamento nella materia. »

« E tremila milanesi? » chiede Cazzaniga con un leggero tono ironico.

« Non ci riuscirebbero mai, » risponde sicuro Bellavista « li vedo troppo razionali per ottenere un risultato del genere. »

« Professò, » interviene Salvatore « forse mi sbaglio ma io sono convinto che ci sono individui che possono fare dei piccoli miracoli e individui che non li possono fare. Qua basta che in mezzo a noi ci sia una sola persona che ha queste capacità ed ecco che il miracolo è bell'e fatto! Per esempio, volete sapere chi potrebbe fare dei miracoli importanti se solo li volesse fare? »

« Chi? »

« Maradona. »

« Eh Maradona! » esclama Cazzaniga guardando Salvatore con un pizzico di disgusto.

« Sissignore, dottò, proprio Maradona » ripete Salvatore. « Io da un po' di tempo a questa parte lo sto mettendo alla prova. Quando ho a cuore una cosa importante, dico dentro di me: "Maradona mio, aiutami tu" e vi giuro che nove volte su dieci la cosa mi va bene. »

« Salvatore! » protesta Cazzaniga. « Non dica sciocchezze. Siamo in chiesa! »

« Dottò, ma voi che vi credete: nemmeno Nostro Signore Gesù sapeva che avrebbe potuto fare dei miracoli finché non ci ha provato. »

« A sentire il Vangelo di Giovanni lo sapeva » precisa Bellavista. « Quando era alle nozze di Cana e mancava il vino, la Madonna lo sollecitò a intervenire con un miracolo e Lui si schermì dicendo: "Non è ancora giunto il mio tempo", e aveva ragione. Non era il caso di cominciare con un miracolo di quel genere... »

Un profondo mormorio si solleva da tutta la chiesa, seguito subito da un lungo applauso: il sangue si è sciolto. Il cardinale alza più in alto possibile la teca ponendola in posizione orizzontale e il sangue ondeggia nelle ampolle. Il Gentiluomo del Fazzoletto, ovvero il Decano della Reale Deputazione, agita in aria il prezioso fazzoletto ricamato per informare i fedeli che sono in fondo alla chiesa che San Gennaro ha fatto il miracolo. Tutte le persone intorno all'altare si mettono in ginocchio davanti alla sacra reliquia e anche Bellavista e Cazzaniga non possono fare a meno di inginocchiarsi e di aspettare il loro turno per il bacio della teca. Cazzaniga è alquanto scosso: fino a ieri, per lui, il miracolo di San Gennaro era solo un aneddoto. Oggi non è più tanto sicuro di come stanno le cose: ha avuto modo di vedere lo scioglimento del sangue da vicino, a non più di cinque metri di distanza. Ma sarà poi vero? Bah! Forse ha proprio ragione il monaco che li ha accompagnati sull'altare: « Succede ».

*

A Napoli l'aeroporto di Capodichino dopo le otto e mezzo di sera diventa improvvisamente deserto: il volo per Venezia è già partito e quello delle ventuno per Milano è l'unico che ancora compare sul tabellone delle partenze. Il bar ha chiuso, il giornalaio idem, i taxi all'uscita si sono dileguati e anche la variopinta schiera dei venditori peripatetici che in genere affolla il salone centrale se l'è squagliata: nessuno tenta più di piazzare orologi, videoporno e accendini, e nessun abusivo si aggira con aria circospetta per offrire la propria « disponibilità totale a qualsiasi cosa ».

L'altoparlante comunica che il volo per Milano non partirà in orario « per ritardato arrivo dell'aeromobile », ma si guarda bene dal precisare l'entità del ritardo. Bellavista e Salvatore decidono comunque di tener compagnia al dottor Cazzaniga fino alla partenza dell'aereo, malgrado che Cazzaniga li inviti ripetutamente a tornare a casa.

« Dottò, per noi è un piacere » dice Salvatore. « E poi dovete sapere una cosa: io una sola volta ho preso un aereo ed è stato quando ho voluto seguire la squadra del Napoli che andava in un paese russo. Tirbisi... Tiblisi... Tiribisi... insomma un nome così. Vi confesso che prima di partire avevo una paura della Madonna: un aereo, mi dicevo, è sempre un aereo, sta per aria, non è che uno può dire: scusate, fermate un momento che voglio scendere. Così quando dovetti partire ebbi un pentimento improvviso proprio mentre stavo per salire la scaletta, tanto che i miei compagni mi sollevarono di peso e mi attaccarono sopra una poltrona. Basta, dopo un'oretta che eravamo partiti, io mi stavo già cominciando ad abituare, quando vidi uno che camminava per il corridoio. Ma allora si può camminare, pensai, e chiesi al mio vicino di posto: ma quello dove va? Dice: va in gabinetto? Come sarebbe a dire: va in gabinetto, ma perché qui si può andare pure in gabinetto? Sì, dice lui. Allora dico io: uno fa i comodi suoi e poi la roba dove cade cade. No, dice lui, non cade proprio niente, ce la portiamo tutta appresso, anche perché non starebbe bene, specialmente quando si vola su un paese straniero. Basta, volli andare pure io in gabinetto: ebbè, dottò, mi dovete credere: non mi ero nemmeno seduto sulla tazza quando sentii la voce dell'*hostess* che diceva da dentro all'altoparlante: "Attenzione, attenzione, in questo momento stiamo sorvolando le Alpi". Io però, che stavo già *appaurato* per i fatti miei, al primo "attenzione" sono uscito dal gabinetto con tutti i calzoni sbottonati. »

Cazzaniga sorride al racconto di Salvatore, poi dà uno sguardo verso il bar chiuso e dice:

« Non c'è un altro bar nell'aeroporto? »

« No dottò, » risponde Salvatore « qua già è tanto se ce ne hanno messo uno. »

« Insomma, » dice Bellavista, come se stesse concludendo un discorso che gli era stato appena interrotto « i napoletani sono ancora pagani: credono nella specializzazione degli Dei: pregano Santa Lucia se hanno problemi con la vista, San Pasquale Baylon, più noto come "bailonne", se debbono maritare una figlia, San Ciro se hanno bisogno di un medico generico e San Cristoforo se debbono fare un viaggio Napoli-Roma in Cinquecento; né più né meno di come facevano duemila anni fa gli antichi greci che adoravano Artemide o Ares a seconda che andavano a caccia o alla guerra. »

« E lei in cosa crede? » chiede Cazzaniga.

Il professore non risponde. Sembra quasi che non abbia sentito. Poi pian pianino comincia a bofonchiare.

« Ma... è difficile dirlo così su due piedi... Una volta mi affascinava l'eresia di Ario: quella del Cristo Uomo, e forse ancora oggi l'ipotesi mi suggestiona. Diciamo che mi professo "ateo-cristiano". »

« Ateo o cristiano? » chiede, giustamente sorpreso, Salvatore.

« Ateo e cristiano, contemporaneamente, » chiarisce il professore « ritengo di essere ateo perché non credo nell'esistenza di Dio e cristiano perché cerco di seguire le teorie di Cristo che considero l'uomo più importante mai visto sulla Terra. Parliamo prima di Dio. Che cosa significa Dio? Vuol dire speranza in un'altra vita? Ebbene, allora sappiate che qualsiasi ipotesi di beatitudine eterna, di reincarnazione, non ha per me alcun interesse se non è collegata in qualche modo con il passato. Quando non si ha memoria del già vissuto, che senso ha parlare di reincarnazione? A che serve sapere che in un'altra vita sono stato Giulio Cesare se di questa precedente esperienza non conservo alcun ricordo? E per quanto riguarda una mia ipotetica esistenza futura, come "puro spirito", che volete possa interessarmi un tipo di vita ultraterrena durante la quale mi è proibito mettermi in contatto con le persone che amo e che sono rimaste sulla Terra? "Vivere" per me significa "amare coloro che amo". Il maggior difetto del Regno dei Cieli è quello di non avere il telefono. Ora io potrei pure arrivare a una dimostrazione dell'esistenza di Dio attraverso un sentiero puramente dialettico del tipo: "Esiste Dio?". "Non lo so." "Ammetti dunque che esiste qualcosa che non sai?" "Sì." "Benissimo, allora fammi il favore di chiamare questo qualcosa: Dio." D'accordo, ma a che serve un ragionamento del genere? È proprio così importante sapere che esiste Dio? Non è forse più importante sapere che esiste l'Amore? Ed ecco che spunta fuori Gesù. »

Alla parola Gesù, Salvatore dà uno sguardo d'intesa a Cazzaniga come a dire: adesso si chiarisce tutto.

« Che cosa ha detto Gesù di così rivoluzionario? » continua Bellavista che non sembra ammettere contraddittori.
« Ha detto "porgi l'altra guancia" e lo ha detto in un'epoca
in cui la vita di un uomo valeva meno di quella di una ca-
pra. Lei, dottore, conosce la parabola dei vignaioli? No?
Adesso gliela racconto io... »

« E poi non abbiamo niente da fare » aggiunge Salvatore
a titolo d'incoraggiamento.

« Matteo 20, 1, 16 » annuncia il professore. « Un padre di
famiglia invita degli operai a lavorare nella sua vigna. Alcuni arrivarono alla prima ora, alcuni alla terza, alcuni alla
sesta. Gli ultimi arrivarono all'undicesima ora, poco prima
del tramonto. Quando si fece sera il padre di famiglia dà a
ciascuno di loro un soldo, sia a quelli che hanno lavorato fin
dall'inizio che a quelli che sono arrivati negli ultimi cinque
minuti. Che cosa vuol dire la parabola? Secondo l'interpretazione di padre Ferruccio, il parroco di San Gioacchino, il
soldo è il Paradiso, e il Paradiso è un premio alla portata di
tutti, anche di quelli che si pentono negli ultimi cinque minuti. D'accordo, però qualcuno potrebbe obiettare: ma come, io mi alzo alle cinque della mattina per andare a lavorare, tu te ne arrivi fresco fresco alle sei di sera, e poi alla
fine che succede? Che ci danno lo stesso soldo a tutti e due!
Ed è Giustizia questa? Sissignore, rispondo io, è Giustizia:
perché la verità è che il soldo del padrone della vigna è solo
una moneta falsa, perché il Paradiso non esiste, perché l'autentica ricompensa è aver lavorato nella vigna del Signore.
Chi ama ottiene subito il suo salario, perché solo amando può
conoscere la sottile bellezza dell'amore e dell'amicizia. Conviene essere buoni. »

« Professò, » dice Salvatore « io quando vi sento parlare
mi sembra sempre che avete ragione, poi succede che dopo
vado in mezz'alla strada e m'accorgo che tutto quello che

avete detto non funziona più: qua la verità è che se uno è buono con il prossimo, il prossimo subito gli fa quel servizio. A Napoli per sopravvivere la regola numero uno è invece fregare il prossimo quanto più è possibile. Si va avanti solo a botta di raccomandazioni e d'imbrogli... »

« Caro Salvatore, » interviene Bellavista « mi accorgo purtroppo che tutto il tempo che ho spéso per farti capire Parmenide non è servito a niente. »

« Parmenide? » chiede Salvatore senza capire. « E chi era *'stu Parmenide*? Confesso che in questo momento non mi ricordo bene... »

« Parmenide, la teoria dell'essere » insiste il professore cercando di fargli ricordare una sua vecchia lezione. « Caro Salvatore, il prossimo può fregare solo il tuo non essere e a te del non essere non te ne deve importare. Che vuoi che ti possa rubare il prossimo? Ti potrà portare via il denaro, il potere, il successo... e con questo? Denaro potere e successo sono solo l'apparenza della vita e non è certo l'apparenza il motivo per cui sei venuto al mondo. Delle due l'una: quando incontri un essere umano o lo freghi o gli diventi amico, tutte e due le cose insieme non le puoi fare. Ebbene, in quel momento, quando sei costretto a scegliere tra la fregatura e l'amicizia, ti rendi subito conto che solo il calore di un abbraccio può darti il senso della vita. »

Le ultime parole del professore vengono soverchiate dall'altoparlante che annuncia ancora un ritardo per il volo delle ventuno. Cazzaniga guarda di nuovo l'orologio e sbotta alquanto avvilito.

« Dio mio! Sono quasi le dieci: abbiamo già un ritardo di un'ora e questi annunziano un altro ritardo. Finirò con l'arrivare a Milano dopo mezzanotte! »

« E non possiamo nemmeno bere! » aggiunge Bellavista.

« Potremmo andare fuori a vedere se c'è qualche bar aperto » propone Cazzaniga.

« E chi ve lo dà? » risponde Salvatore. « Qua l'aeroporto è isolato: se ci muoviamo con la macchina finiamo un'altra volta in mezzo al traffico! »

« Ebbè, che volete da me, » si sfoga Bellavista alzando la voce « io m'incazzo per questo fatto del bar che sta chiuso: non posso sopportare il fatto che l'aeroporto di una metropoli come Napoli non abbia un bar sempre aperto e a disposizione di tutti i viaggiatori, sia di quelli del giorno che di quelli della sera. »

« *Va bè professò, mò nun ve pigliate collera.* Rassegnatevi all'idea: il bar è chiuso e non c'è niente da fare: solo un miracolo di San Gennaro lo potrebbe far riaprire. »

Salvatore non fa in tempo a finire la frase che un uomo di mezz'età si avvicina a Bellavista e gli dice:

« Dottò *scasualmente* ho sentito che avete sete: se mi seguite al bar in via eccezionale potrei provvedere io. »

Ciò detto, l'uomo si avvia verso il bar, prende una chiave nascosta dietro un cartellone pubblicitario, apre il lucchetto di un cassone frigorifero e chiede:

« Cosa posso servirvi? »

« Non lo so, » risponde Bellavista « io vorrei una birra. Voi che prendete? »

« Anch'io una birra » dice Salvatore.

« Se c'è preferirei una Coca-Cola » azzarda Cazzaniga.

« Allora due birre e una Coca-Cola » conclude Bellavista.

L'uomo guarda nel cassone prende prima una Coca-Cola con relativo bicchiere, poi rivolto verso il professore dice:

« Vi basta una lattina di birra e due bicchieri? »

« Sì, grazie » risponde il professore.

L'uomo versa le birre e la Coca-Cola. Salvatore comincia a bere e non può fare a meno di pensare che l'uomo del bar rassomiglia preciso preciso a San Gennaro: due gocce d'acqua! D'altra parte, perché meravigliarsi? Lui prima il Santo lo aveva invocato e in quel momento accanto a loro non c'era nessuno, poi era sbucato questo qui all'improvviso, come dal nulla.

« Quanto le devo? » chiede Cazzaniga precedendo col braccio il professore.

« Niente, » risponde lo sconosciuto « il bar non è mio: io so solo dove mettono le chiavi. »

The day before

« Se solo riuscissi a piazzare qualche impianto a Napoli, la Sicurat mi aprirebbe una piccola filiale e il giorno dopo io sarei il direttore alle vendite per tutta l'area Centro-Sud. »

Giorgio Loffredo, il genero di Bellavista, è appena tornato da Milano. Ormai sono due anni che lavora al Nord e ogni qual volta mette piede a Napoli è tenuto a dare le ultime notizie a tutto lo staff della portineria, ovvero a donn'Armando, a don Ferdinando e a Salvatore, rispettivamente portiere, sostituto portiere e vice sostituto portiere del palazzo di via Petrarca 58. La conversazione ha luogo sotto l'androne.

« E ritornereste a Napoli per sempre? » chiede Salvatore.

« È logico, e io per questo ci tengo a trovare clienti a Napoli. Vi giuro, Salvatò: non ce la faccio più a stare a Milano. Patrizia, beata lei, si è abituata, ma per forza quella è giovane, si è fatta le amiche: adesso parla pure milanese. Io no. Sarà che tengo un carattere difficile ma non mi riesco ad ambientare. Sapete che mi è successo la settimana scorsa? Accanto a casa mia, proprio sullo stesso pianerottolo, abitava un certo Gorini: pure lui architetto, solo che lavorava nel settore arredamento. Poteva tenere quarantacinque, quarantasette anni. Ora io con questo Gorini di tanto in tanto mi facevo una chiacchierata. Sapete com'è: uno prima s'incontra in ascensore, poi si rivede al bar la mattina dopo e allora succede che mentre si aspetta il cappuccino, si comincia a parlare: ha visto che tempo? Lei dove lavora? Io sto alla

Sicurat, una società svizzera. No, io mi occupo di arredamenti. Basta, le cose stavano così, buongiorno e buonasera, quando per un paio di mesi non ci siamo incontrati più. Chiedo notizie al signor Ernesto, il portiere dello stabile, un antipatico con i baffetti, e quello mi risponde: "L'architetto Gorini è morto". "È morto? E come è morto?" "È morto" ripete lui e se ne va. Ma come dico io: tu muori e non fai sapere niente a nessuno! E allora mi chiedo: il portone mezzo chiuso quand'è che l'hanno messo? E l'addobbo funebre? E la bara che scende per le scale? E il pianto della famiglia? E poi vorrei sapere un'altra cosa: come hanno fatto a non farmene accorgere? Mah, dice Patrizia, sarà capitato durante un weekend. E ti sembra normale? A Napoli quando muore un cristiano, vivaddio, se ne vede bene tutto il quartiere. Si sa com'è morto, si conosce la malattia, c'è il conforto dei coinquilini, la veglia degli amici, la tazza di brodo caldo della vicina di casa, e tutto questo serve agli esseri umani per fare amicizia fra di loro, altrimenti che si muore a fare? »

« Non vi angustiate, architè, » commenta donn'Armando « quello ha ragione il professore Bellavista quando dice che siamo due popoli diversi uniti dalla stessa televisione! »

« Architè, » chiede Salvatore « ma quanti impianti dovete vendere per avere diritto a trasferirvi a Napoli con tutta la famiglia? »

« Me ne basterebbero dieci: il minimo per giustificare un ufficio e una segretaria. »

« Scusate se m'intrometto, » dice un uomo alto e magro, con le guance scavate all'Eduardo « mi chiamo Scalese, vi volevo chiedere una cosa: voi avete detto... »

« Questo è mio cugino, » lo interrompe Salvatore « si chiama Antonio, è terremotato, fa l'arrotino, abita da quattro anni in un container alla Mostra d'Oltremare, tiene moglie e tre figli. »

« Come vi stavo dicendo, architè, » continua lo Scalese « sono arrivato in ritardo e non ho potuto seguire il vostro racconto fin dall'inizio. Siccome però, oltre a fare l'arrotino, m'interesso d'import-export, vorrei sapere una cosa: se ho ben capito voi avete una rappresentanza svizzera. »

« Sì, della Sicurat » risponde Giorgio.

« E quale articolo trattate? »

« Rifugi antiatomici. »

Quest'ultima notizia fa restare l'arrotino senza fiato. Giorgio, dopo qualche secondo, non sentendolo fare alcun commento, riprende a parlare.

« La Sicurat è la più importante società del settore. Copriamo il 35 per cento del mercato. Oggi tutto il mondo industriale si sta attrezzando: l'84 per cento degli svizzeri possiede un rifugio antiatomico. In Israele siamo arrivati al 99 per cento e con gli svedesi stiamo all'88 per cento. »

« Archité, » lo interrompe di nuovo il cugino di Salvatore « io adesso non vi vorrei scoraggiare, ma ho paura che voi a Napoli farete palla corta: qua non ci sono soldi per vivere in modo normale, figuratevi se i napoletani si mettono a spendere soldi per continuare a campare anche dopo la bomba atomica! »

« Ma volete scherzare?! » esclama Giorgio, evidentemente molto ferrato sull'argomento. « Voi a Napoli state tutti in Zona di Rischio Uno, avete la Nato in casa e vi mettete pure a fare dello spirito! Lo sapete che il primo missile SS 20 che parte dalla Russia, a tripla testata atomica, è puntato proprio su Napoli? »

« Hai capito come stiamo combinati » sospira Salvatore guardando i presenti. « Come scoppia la guerra i russi ci danno tre *capate*! Io l'ho sempre detto che questi americani della Nato prima se ne vanno e meglio è: tanto, dollari non ce ne hanno mai portati. Non so se lo sapete, ma non hanno fiducia nei commercianti napoletani. Archité, mi ha detto Rachelina mia moglie, che ha lavorato a mezzo servizio per uno di loro, che perfino la carta igienica, con decenza parlando, se la fanno mandare dall'America. I servizi segreti

russi queste cose le dovrebbero sapere e farebbero bene a
costruire un missile fatto apposta per loro: una *capata* sola,
ma giusta giusta per la base Nato. »

« Sì, » commenta il genero di Bellavista « adesso i russi si
mettono a fare le bombe atomiche su misura! »

« Dite quello che volete » continua scettico lo Scalese.
« Ma secondo me a Napoli i rifugi non si vendono. »

« Non è detto » replica fiducioso Giorgio. « Tra l'altro c'è
anche la speranza che prima o poi venga approvata una legge
per incoraggiare la costruzione dei rifugi antiatomici. »

« Come sarebbe a dire una legge? » chiede donn'Armando.

« Come hanno fatto in Svizzera » risponde Giorgio. « Lo
Stato svizzero contribuisce per il 50 per cento alle spese di difesa antiatomica. Tu fai conto che a Lugano tieni una cantina
e che la vuoi rendere antiatomica? È facilissimo: basta che
porti il progetto al Comune e lo Stato subito ti dà la metà dei
soldi. »

« Figuratevi in Italia che succederebbe con una legge del
genere » esclama Salvatore ridendo. « Diventerebbero rifugi
antiatomici pure le ristrutturazioni dei gabinetti! »

« Architè, ve lo ripeto: non v'illudete, » insiste imperterrito lo Scalese, che ormai non rinunzia più al suo ruolo di
disfattista « lo Stato italiano, credetemi, non tiene nemmeno
i soldi per piangere: e io ne so qualcosa dal momento che
sono terremotato e figlio d'arte... »

« Figlio d'arte? » chiede Giorgio incuriosendosi.

« Sì, perché pure mio padre e mio nonno erano terremotati, Casamicciola 1883. Sapete la gente come mi chiama?...
Mi chiama Mercalli. A ogni modo, come vi stavo dicendo,
io abito dal novembre dell''80, dal giorno del terremoto,
in un container alla Mostra d'Oltremare (a proposito, quando volete farmi l'onore di una visita, ricordatevi che il mio
è il tredicesimo container sulla destra entrando da viale
Kennedy: vi venite a prendere una tazzina di caffè). Ora
sapete che sta succedendo? Che corro il rischio di perdere an-

che questa schifezza di abitazione, ammesso che la si possa chiamare abitazione, e già perché la ditta fornitrice dice di non essere stata pagata dal Comune e minaccia di riprendersi il container da un giorno all'altro. Allora dico io: uno Stato che dopo quattro anni non riesce nemmeno a garantire un container a un terremotato, discendente di terremotati, vi pare a voi che riesce a costruire un rifugio per quelli che vogliono continuare a vivere sottoterra, quando sopra sono morti tutti quanti? »

*

È mezzogiorno. L'avvocato Capuozzo, padrone di casa del quartino delle signorine Finizio, sta attraversando il cortile. Siamo al quattro del mese e l'avvocato Capuozzo sa per esperienza che se allenta la morsa le signorine si mangiano tutti i soldi della pensione e allora poi per avere quelle quattro lire dell'equo canone sono dolori: pianti, maledizioni e finti suicidi.

In un angolo del cortile Salvatore e l'architetto Loffredo, il genero di Bellavista, stanno prendendo delle misure: Salvatore ha una rollina da venti metri e l'architetto, con l'altra estremità del nastro in una mano, traccia col gesso dei segni per terra.

L'avvocato Capuozzo vede la scena e rallenta il passo, poi, in quanto condomino, si convince che ha il diritto di chiedere il motivo di quelle misurazioni.

« Salvatò, » chiede Capuozzo « che è successo: ci sono guai alle fognature, è saltato un'altra volta il gomito? »

L'avvocato Capuozzo è particolarmente sensibile all'argomento fognature: non c'è anno che l'impianto del palazzo non gli dia dei dispiaceri. In particolare c'è una curva a gomito, posta proprio sotto la colonna fecale del suo appartamento, che lo tormenta da sempre: si intasa e come se niente fosse l'idraulico gli scippa un milione di lire. « A voi pare

niente un milione? » si lamenta Capuozzo. « Ebbene, sappiate che è tutto quello che ricavo in un anno dal quartino delle
Finizio. Loro se ne fregano se scoppiano le fognature. Loro
continuano a pagare l'equo canone e io, secondo qualcuno,
sarei il bieco capitalista che sfrutta le vecchiarelle. Continuate a votare comunista, continuate: questa è la giustizia che
abbiamo in Italia! »

« No, niente, avvocà, » risponde Salvatore « stiamo prendendo le misure per interrare un rifugio antiatomico. »

« Come sarebbe a dire un rifugio antiatomico? »

« Avvocato, adesso vi spiego » interviene Giorgio sorridendo mentre riavvolge la rollina. « Io rappresento la Sicurat
di Lugano, Sicurezza Atomica: è una ditta svizzera che co-
struisce rifugi antiatomici. Ora siccome è intenzione della
ditta aprire una filiale a Napoli, io sono riuscito a convincere
gli svizzeri a installare gratuitamente il primo rifugio antiatomico napoletano. Un rifugio a scopo dimostrativo, diciamo
così, una specie di vetrina. Ora dovendo scegliere un luogo
per l'installazione, ho pensato bene di favorire il nostro palazzo. Tutte le spese di installazione sono a carico della
Sicurat. »

« Sì, ho capito, ragazzo mio, » risponde Capuozzo « ma
bisogna vedere se tutti i condomini sono d'accordo su questa iniziativa, e poi qua sotto ci sono le fognature: le fognature sono delicate... »

« Avvocà, » lo interrompe Salvatore « forse non avete capito bene: la Svizzera il rifugio ce lo dà gratis, paga tutte le
spese per l'interramento e noi con questa scusa ci facciamo
mettere a posto pure il pavimento del cortile e le fognature. »

« Tutto quello che vuoi, Salvatò, » ribatte stizzoso l'avvocato Capuozzo « ma tu, senza il consenso del condominio,
qui nel cortile non puoi interrare nemmeno una pianta di
basilico. »

*

L'uomo condomino (*homo condominus*), come è noto, non è un essere normale, è una specie di dottor Jekyll. Magari fino a cinque minuti prima della riunione di condominio (seconda convocazione sia chiaro, perché la prima, non si sa per quale motivo, è sempre da ritenersi formale) è considerato da tutti una pasta d'uomo, un essere gentile, socievole, a volte perfino generoso, poi, improvvisamente, appena messo piede nel salotto dell'amministratore, si trasforma in un sofista ateniese che spacca il capello in quattro, in un rompiscatole tutto di un pezzo che, pur di non mollare su una questione di principio, è capace di arrivare in cassazione.

Il condominio di via Petrarca 58 è diviso in tre correnti di pensiero: quella dei condomini residenti, quella dei proprietari di appartamenti a fitto libero e quella dei proprietari di appartamenti a fitto bloccato. L'avvocato Capuozzo, capo storico di quest'ultima corrente, è da sempre un feroce avversario di chiunque proponga anche una minima miglioria: sentinella insonne, lui vigila affinché la vita degli inquilini a fitto bloccato resti la peggiore possibile.

Oggetto del contendere è in genere l'impianto di riscaldamento che l'ingegner Passalacqua, leader dei residenti, vorrebbe centralizzato e di marca tedesca e che Capuozzo ritiene del tutto superfluo in una città come Napoli che, a suo dire, ha un clima equatoriale. « E quando fa freddo? » grida Passalacqua. « Vi mettete il cappotto o ve ne andate a dormire » risponde l'avvocato con cattiveria. La verità è che l'unico impianto di riscaldamento desiderato da Capuozzo sarebbe un forno a gas di tipo nazista.

La riunione di cui parliamo è stata indetta per favorire il genero del professor Bellavista e per discutere l'installazione del rifugio antiatomico promesso dalla Sicurat, ciò nonostante c'è sempre qualche condomino che, ignorando l'ordine del giorno, pretende di risolvere prima le questioni che gli stanno più a cuore.

« Come prima cosa, » dice la signora Sbordone Colajanni

(condomina residente) « vorrei proporre l'eliminazione della gettoniera nell'ascensore. Quella *cascettella* non fa che darci fastidi: le cinquanta lire ormai non si trovano più e ogni tanto qualcuno, preso dalla disperazione, pur di salire, ci ficca dentro un bottone di metallo e blocca l'ascensore per una settimana. E poi alla fine che acchiappiamo? Sì e no centomila lire al mese, che divise per ventiquattro condomini diventano quattro soldi. Pure il dottor Stoppetti si è lamentato della gettoniera: ha detto che solo a Napoli si trovano ancora questi marchingegni medioevali. »

« Uh, quanto mi dispiace che il dottor Stoppetti si sia lamentato » esclama ironico l'avvocato Capuozzo. « Vuol dire che per non farlo più dispiacere, da oggi in poi togliamo la gettoniera. Poi magari il proprietario del suo appartamento, il qui presente cavaliere Improta, ci rimborserà del mancato incasso. »

« E già, » ribatte Improta « io poi, secondo voi, sarei così fesso da regalare al condominio centomila lire al mese! »

« Avete di che pagare! » risponde pronto l'avvocato « dal momento che vi pigliate un milione e mezzo al mese da Stoppetti! »

« Sentite, » interviene con forza il professor Bellavista « io di solito non vengo mai alle riunioni di condominio perché come condomini, ve l'ho già detto un'altra volta, mi fate schifo. Oggi però c'è una questione che m'interessa in modo particolare e la vorrei discutere. Mio genero, come dicevo prima, desidererebbe interrare un rifugio antiatomico al centro del cortile... »

« La verità, caro avvocato, » grida il cavaliere Improta, alzandosi in piedi, e puntando l'indice contro Capuozzo « è che voi siete invidioso! »

« Invidioso io! E no, caro cavaliere, vi sbagliate: io difendo semplicemente i miei interessi » risponde l'avvocato Capuozzo alzandosi anche lui in piedi.

« Sì, invidioso, » insiste Improta « invidioso perché a me

sono morti due inquilini a fitto bloccato e mi si sono liberati gli appartamenti, mentre a voi le signorine Finizio scoppiano di salute e non trovano la via per andarsene al Creatore. »

« Un poco di silenzio per cortesia, » implora Bellavista « vi chiedo il favore di sospendere per cinque minuti il dibattito sulla salute degli inquilini e di dedicare un minimo di attenzione al problema del rifugio antiatomico. »

« Professò, » risponde spazientito l'avvocato Capuozzo « l'installazione del rifugio è stata già discussa con esito negativo. Il condominio non permette lo sconquassamento del cortile, anche se la ditta di vostro genero è svizzera e dà tutte le garanzie possibili. E poi non ci dimentichiamo che sotto al cortile ci sono le fognature e che con le fognature non si scherza. »

« Il guaio è, carissimo professore, che il rifugio è troppo piccolo » obietta la signora Sbordone Colajanni. « Fosse sufficiente per tutti lo capirei. Ma così com'è non serve: un domani, non sia mai Dio, scoppia una bomba atomica, noi che facciamo? Ci scanniamo tutti quanti davanti al rifugio? »

« Sì capisco » risponde il professor Bellavista. « Ma a parte il fatto che il rifugio diventerebbe proprietà di tutti e che in seguito lo si potrebbe vendere a uno dei condomini, oggi come oggi, mio genero ne ha bisogno per mostrarlo ai clienti e invogliarli all'acquisto. Ora capitemi: se il ragazzo si afferma sulla zona, viene subito trasferito a Napoli, e con lui torna pure mia figlia. »

Alcuni secondi di silenzio sottolinearono il fatto che l'argomento all'ordine del giorno non era tanto un problema di natura economica, quanto il sacrosanto desiderio di un padre di riavere accanto una figlia condannata a vivere a Milano. Il primo a prendere la parola fu proprio l'avvocato Capuozzo.

« Va bene, professò: io propongo che il condominio consenta temporaneamente la sosta del rifugio antiatomico sul pavimento del cortile, senza però permetterne l'interramento. Diciamo così che diamo a vostro genero un permesso speciale per due mesi di esposizione. Se dopo due mesi non ha ancora sfondato, vuol dire che a Napoli l'articolo non interessa. »

« E i miei inquilini dove mettono le macchine? » protesta Improta.

« In mezzo alla strada, come fanno tutti quanti » risponde Capuozzo più cattivo che mai « e speriamo che se le rubino! »

*

« La timidezza appartiene sia al mondo dell'Amore che a quello della Libertà » dice Bellavista. « È figlia dell'Amore perché è commisurata alla sensibilità del timido e alla sua dolcezza d'animo, ma è anche figlia della Libertà, in quanto nasce dal timore d'invadere la privacy della persona che ci sta di fronte. »

Come tutti i martedì, a casa del professore c'è lezione di filosofia. Presenti in studio: Salvatore, Saverio il netturbino, il colonnello Santanna e Luigino il poeta. Tema del giorno: la timidezza nell'antica Grecia.

« Professò, » interviene Saverio « vostro genero è troppo timido. Secondo me ha sbagliato mestiere: lui il rappresentante non lo può fare. Già come si presenta per chiedere un appuntamento, vi fa passare la voglia di comprarvi qualcosa. Ieri mattina l'ho accompagnato alla Citalcon, una ditta di Casagiove dove si conciano i pellami, ebbè mi dovete credere: il portiere dello stabilimento non gli ha fatto nemmeno aprire bocca, appena lo ha visto gli ha detto: "Ci dispiace ma l'articolo non c'interessa, ne abbiamo i magazzini pieni" e gli ha sbattuto la porta in faccia. Sono dovuto intervenire io per farlo ricevere dal proprietario. »

« E poi che è successo? È riuscito a piazzare un rifugio? » chiede Salvatore.

« Ma che doveva piazzare! » risponde Saverio. « Quello

il proprietario della Citalcon gli ha detto che stava pieno di debiti e che l'unica cosa che gli dispiaceva, in caso di conflitto atomico, era di non poter vedere le sue cambiali bruciare tutte insieme. »

« La timidezza comunque può essere vinta con l'allenamento » prosegue Bellavista, ignorando i commenti sul genere. « Il cinico Cratete ogni notte scendeva per strada e andava a insultare le puttane nei quadrivi di Atene; faceva questo per essere più in forma la mattina seguente, quando doveva affrontare gli avversari nell'agorà. »

« Sai quante male parole si pigliava ogni notte Cratete! » commenta Saverio.

« Una volta gli affidarono un ragazzo molto timido, un certo Metrocle. I genitori del giovanotto avevano notato che Metrocle arrossiva per qualsiasi cosa, come una femminuccia, per cui avevano deciso di rivolgersi a Cratete il cinico, perché questi lo facesse diventare più virile, più capace di affrontare le avversità della vita. Cratete come prima cosa se lo portò in una palestra per farlo irrobustire. Disse il cinico che la forza muscolare gli avrebbe dato più sicurezza. Sennonché, proprio mentre stava producendo uno sforzo per sollevare un peso, a Metrocle scappò un po' d'aria... »

« Una scorreggia? » chiede Salvatore, timoroso di non aver capito.

« Sì, una flatulenza. »

« Una flatulenza con rumore o senza rumore? »

« Con rumore. »

« E questo sta scritto nella storia della filosofia? » chiede dubbioso Salvatore.

« Sì, lo racconta Diogene Laerzio. »

« Sarà! »

« Metrocle, accorgendosi che tutti intorno a lui si erano fermati interdetti, arrossì e subito dopo decise di suicidarsi... »

« E che esagerazione! » esclama Salvatore. « Addirittura

suicidarsi! Uno chiede scusa ai presenti, dice: "Abbiate pazienza, mi è scappata una flatulenza" e tutto va a posto. Altrimenti qua ci saremmo dovuti suicidare chissà quante volte. »

« *Va buò, Salvatò,* » obietta Saverio « tu però tieni presente che il ragazzo già era timido... e poi diciamo le cose come stanno: aveva fatto pure *'na figura 'e niente.* »

« Allora Cratete » continua imperterrito Bellavista « gli fece questo discorso: "Caro Metrocle, tu ti vuoi ammazzare e io rispetto la tua volontà. Sarei più contento però se questa tua decisione fosse il risultato di una scelta. Tu sai che cos'è la morte?". "No" rispose Metrocle. "La morte è il Nulla. Ora io penso che, prima di suicidarti, ti converrebbe confrontare il Nulla con quello che avresti perso se invece decidessi di continuare a vivere. Io domani ti presenterò le massime autorità della polis, in modo che tu possa sapere che cosa saresti potuto diventare da grande." »

« E bravo Cratete! »

« La mattina dopo il filosofo come prima cosa si mangiò un chilo di fagioli, poi prese Metrocle per un braccio e lo accompagnò dagli arconti di Atene. "Ecco," disse Cratete inchinandosi davanti a ciascuno di loro "questi sono gli uomini che reggono i destini della polis" e così facendo allentò una potentissima scorreggia... »

« Una flatulenza? » chiede Salvatore, che già prima era rimasto bene impressionato dal termine.

« Sissignore. Poi si recarono dai dieci strateghi. "E questi sono gli strateghi, coloro che difendono Atene durante le guerre" disse Cratete e giù un'altra scorreggia. Insomma, tante ne fece che Metrocle si persuase che si trattava di un fatto del tutto normale. »

« Questo sta scritto sempre nella storia della filosofia? » chiede ancora Salvatore. « Ne siete proprio sicuro? »

« Sissignore. »

« Sarà! »

« Un'altra volta Cratete... »

Il professore s'interrompe perché proprio in quel momento entra Giorgio con un'aria disfatta. Il genero di Bellavista butta in un angolo la valigetta con i dépliant dei rifugi e si lascia cadere di peso su una poltrona.

« Niente, architè? » domanda Saverio.

« Niente. »

« Ma che vi dicono? »

« Mi dicono: *"Vuie quant'anne vulite campà. Se scoppia la bomba atomica, noi qua stiamo. Primma o doppo, 'e 'na manera 'amma murì!".* »[1]

« Architè, » chiede Saverio « ma voi ce l'avete fatto il discorso della Nato e della bomba a triplice testata? »

« Sì, ma non si mettono paura. »

« Professò, » dice Luigino alzandosi in piedi « permettete un pensiero poetico per l'occasione?... Avrei composto un piccolo sonetto:

> « *l'uomo una volta era solo uno scimmione,*
> *poi s'inventò la ruota e 'a ciucculata,*
> *il treno, l'aereo e la televisione,*
> *e infine la bomba a triplice testata,*
> *per cui mi sorge un dubbio sul progresso:*
> *Ma vuò vedè ca invece l'ommo è fesso!* »

« *Ma comme fà?* » esclama Salvatore in segno d'ammirazione, mentre il colonnello si alza per congratularsi col poeta.

« Non lo so, » risponde Giorgio meccanicamente « io so solo che a Napoli sto perdendo il mio tempo. La cosa che più mi spaventa è che tra qualche giorno arriva dalla Svizzera il dottor Frankfutter, il direttore generale della Sicurat, e io che gli dico? Che deve pensare alla salute? »

---

[1] « E quanti anni mai pretendete di campare? Se scoppia la bomba atomica, noi qua stiamo. Prima o dopo, in un modo o nell'altro dobbiamo pur morire! »

« Certo che l'articolo è difficile! » commenta il colonnello.

« Io penso » dice il professore « che da parte dei napoletani esiste addirittura il rifiuto del concetto di morte collettiva. »

« Come sarebbe a dire? » chiede Salvatore.

« Il napoletano vero, l'uomo d'amore, ha capito una cosa fondamentale e cioè che la morte esiste solo come evento che procura dolore ai superstiti, altrimenti non esisterebbe. Lo diceva anche Epicuro: "Perché spaventarsi della morte: se ci sei vuol dire che non sei morto, e se sei morto, vuol dire che non ci sei". »

« A me, con tutto il rispetto per Epicuro, » commenta Salvatore « questa ultima frase me pare proprio *'na strunzata*. Che significa che non esiste la morte? »

« Voglio dire » precisa Bellavista « che una morte collettiva, totale, non può preoccupare un napoletano, è quasi una festa: è una morte senza lacrime, senza funerali. Viceversa, ve la immaginate la vita del sopravvissuto? Dopo aver trascorso il primo mese nel rifugio, il poveretto che fa? Sale sopra e che trova? Tutte strade piene di morti: morti di qua, morti di là. Senza aerei, senza treni, non ha nemmeno la possibilità di prendere un mezzo per scappare. Deve tornare per forza a rinchiudersi nel rifugio. E dove trova il cibo per sopravvivere? »

« Nei miei rifugi » interviene Giorgio « ci sono sei mesi di provviste alimentari. »

« E vale la pena » chiede Bellavista « vivere altri sei mesi in una tomba sotto terra? »

« Papà, » protesta Giorgio « se tutti ragionassero come a voi, in tutto il mondo non si sarebbero mai venduti milioni di rifugi. Lo sapete che a Lugano c'è un ospedale di tre piani che tiene sotto terra un altro ospedale di tre piani come rifugio antiatomico? Come l'hanno costruito sopra, così l'hanno fatto sotto. C'è il rifugio per l'accettazione al primo piano, quello dei malati medi al secondo e quello dei malati gravissimi al terzo piano. »

« Hai capito, Savè, » commenta Salvatore « in Svizzera non vogliono morire nemmeno i moribondi! Dico io: tu già sei moribondo, devi morire per forza, e approfitta dell'occasione per morire in compagnia di tutti quanti! No, niente: vuole campare fino all'ultimo minuto! Una chiavica, ma vuole campare! »

« Francamente, » dice il colonnello « sono pure io contrario al rifugio antiatomico. Prendete il caso mio: a me basterebbe un rifugio minimo, un paio di stanze e un gabinetto, per me, mia moglie e la cameriera. Però quel famoso giorno sono sicuro che, scendendo in cantina, io mi troverei schierata, fuori della porta del rifugio, tutta la famiglia Carratelli al completo: padre, madre, suocera e sette bambini. I Carratelli abitano a fianco a me, sullo stesso pianerottolo da dodici anni. Ora quello il ragioniere è tanto una persona discreta, non mi ha mai chiesto niente nella vita, che so io: un limone... un cavatappi... Però ve lo immaginate quel giorno? Si siederebbe sugli scalini del rifugio e mi guarderebbe in silenzio, con una faccia come per dire "voi vi salvate e noi restiamo qua fuori a morire". E io che faccio? Non è che posso chiudermi la porta dietro le spalle e dico "con permesso". No, architè, sentite a me, qua a Napoli il rifugio... o ce lo facciamo tutti quanti o non funziona. »

« E va bene, colonnè, » esclama Saverio « adesso vi ci mettete pure voi! Quello l'architetto già sta avvilito. Voi me lo finite di distruggere! Io invece penso un'altra cosa: qua è tutta una questione di strategia, di marketing, come dicono gli americani. Adesso ce ne occupiamo io e Salvatore e vi facciamo vedere come si vendono i rifugi antiatomici. »

« Quando si tratta di vendere, io sto sempre a disposizione » dice Salvatore.

« Allora sentite a me, noi facciamo così, » dice Saverio

« io e Salvatore ci avviamo in avanscoperta a seminare il panico... »

« Il panico? » chiede Giorgio.

« Sì, » prosegue Saverio infervorandosi « noi propaghiamo la psicosi della guerra atomica. Andiamo in giro a dire che abbiamo saputo da un nostro parente russo che stanno per bombardare la Nato. Poi arriva l'architetto con un'offerta lancio per dieci rifugi in economia. »

« La Svizzera quando ce lo manda il rifugio? » chiede Salvatore.

« Ebbè, quasi ci siamo » risponde Giorgio. « Me lo avevano promesso per la fine del mese. »

« Benissimo, » dice Saverio « appena arriva trasformiamo il cortile del palazzo in una fiera dell'Atomo. Mettiamo un bello striscione fuori al portone, un manifesto con il fungo atomico, un centinaio di lampadine di tutti i colori... »

« *E facimmo piedigrotta!* » geme Giorgio avvilito.

« Architè, » lo incoraggia Salvatore « voi dovete vendere rifugi antiatomici? E allora non vi preoccupate: state in mano all'arte! Io e Saverio in una settimana ve ne piazziamo dodici. »

*

Donn'Attilio Morace era un neapolitan self made man. Aveva cominciato come facchino alla stazione Garibaldi ed era finito venditore di dischi in piazza Mercato. Senza tema di esagerare, oggi come oggi, donn'Attilio Morace si poteva permettere il lusso di stendere cinque miliardi su di un tavolo come se niente fosse. Malgrado le sue risorse però campava ancora come un impiegato: casa e bottega, televisione e calcio. Solo a Natale andava al cinema e tutte le domeniche si comprava le paste. Era ammogliato e non aveva figli, in compenso aveva un'amante fissa da più di tredici anni, una donna per la quale ormai provava solo dell'affetto, diciamo pure una seconda moglie. Vizi nessuno a eccezione di un pacchetto di sigarette al giorno e di un terno al lotto che non era mai uscito, ma che per scrupolo si era giocato tutte le settimane per trent'anni di seguito. « Donn'Attì, » gli diceva la gente « ma voi di tutti questi soldi che ve ne fate? » « Non lo so » rispondeva lui ed era sincero.

Donn'Attilio fu il primo probabile cliente che Giorgio, Saverio e Salvatore decisero di attaccare con la nuova strategia. I soldi li aveva, il terreno dietro la casa pure, non c'erano ragioni per le quali non avrebbe dovuto comprare un rifugio antiatomico.

« Donn'Attì, » esordisce Saverio con aria preoccupata « purtroppo vi debbo dare una brutta notizia: il mondo si sta preparando alla terza guerra mondiale. »

« In che senso? »

« Nel senso che tutti gli abitanti delle nazioni più industrializzate si stanno costruendo un rifugio antiatomico, » continua Saverio « e questo è un fatto che può essere molto pericoloso. »

« E perché? »

« Perché finora non ci sono state guerre mondiali perché tutti si mettevano paura. Adesso invece che gli occidentali si sono fatti tutti quanti i rifugi, chi li ferma più? »

« E allora? »

« Ci dobbiamo fare il rifugio pure noi. »

« Veramente, » dice donn'Attilio « dove abito io c'è già una vecchia cantina: durante l'ultima guerra ci venivano pure quelli del palazzo di fronte proprio perché era una di quelle cantine antiche, con i muri larghi quasi un metro e mezzo. »

« Donn'Attì, » lo interrompe Giorgio « non per spaventarvi, ma voi non mi potete paragonare un bombardamento dell'ultima guerra con un bombardamento nucleare! Qui, quando scoppia un'atomica, per i primi due chilometri di raggio la temperatura si eleva a tremila gradi... »

« A quattromila gradi? » esclama Salvatore spaventato.

« No, a tremila » precisa Giorgio.

« Ah, meno male! » dice Salvatore tranquillizzandosi.

« Vi stavo dicendo » continua l'architetto « che la temperatura sale a tremila gradi e la fiammata brucia tutto quello che trova sul suo cammino: alberi, case, persone e via dicendo. Poi si sviluppa un'onda d'urto... »

« Un'onda? » chiede donn'Attilio.

« Sì, un'onda... uno spostamento d'aria, che solleva le case da terra come se fossero pezzi di carta. Quindi, magari voi state nella vostra cantina e da un momento all'altro, non avete più il palazzo sopra la testa! »

« Madonna mia bella, » commenta Saverio « scansaci tu! »

« Ma quanto verrebbe a costare un rifugio piccolo per due persone? »

« Ecco qua: modello Nucleo 02, » interviene Giorgio tirando fuori un dépliant dalla ventiquattrore « quarantadue metri quadri, ingresso con doccia, soggiorno, due letti a castello, angolo cucina, bagno e uscita di sicurezza, viene a costare trentacinque milioni più Iva, compreso il dispositivo di ricambio dell'aria, le tute, le maschere, la riserva di cibo per sei mesi e le spese d'installazione. »

Un prolungato silenzio rende ancora più emozionante l'attesa della prima reazione di donn'Attilio. Giorgio lo guarda con una certa ansia e Salvatore non può fare a meno di pensare che proprio la settimana scorsa donn'Attilio gli aveva confidato di non aver voluto cambiare là sua vecchia 131 con una Regata, solo perché quest'ultima aveva l'apertura elettrica dei finestrini e che « lui si trovava bene solo con la manovella ».

« Archité, ma che significa che c'è il ricambio dell'aria? » chiede donn'Attilio. « Io non ne capisco di guerre atomiche ma penso che quando scoppia una bomba si contamina tutta l'aria che sta intorno. »

« Sì, » risponde Giorgio con professionalità « ma il dispositivo Zot ha un filtro per fermare i raggi alfa, beta e gamma. »

« Ferma pure i raggi gamma? »

« Sissignore donn'Attì, » interviene con astuzia Salvatore « io questo dispositivo l'ho visto in funzione: non è elettrico, è un marchingegno che si aziona a mano con una manovella. »

« E quanto viene a fare a metro quadro? »

« Poco più di un milione » risponde Giorgio cominciando a sperare nella trattativa.

« Una sciocchezza! » sottolinea Saverio.

Un'altra pausa e un'altra sofferente attesa. Poi finalmente donn'Attilio si decide a parlare.

« Architè, il mio problema è complesso: io in verità avrei bisogno di due rifugi abbastanza vicini, uno per me e mia moglie e uno per una signora che abita qua vicino, al palazzo appresso. »

« Per donna Margherita? » chiede Salvatore senza alcuna discrezione.

« Sì, per donna Margherita. Ora, tra i due rifugi voi mi dovreste costruire un tubo... come dire... un sottopassaggio di collegamento, in modo che io possa spostarmi un po' qui e un po' lì. »

« Donn'Attì, » propone Giorgio « ma perché non vi fate un rifugio più grande e vi sistemate tutti insieme? Potreste ordinare il Nucleo 05 con quattro letti a castello. »

« Perché in quel caso si respirerebbe meglio fuori che dentro al rifugio. »

« Ho capito, però anche con due rifugi separati, non è necessario avere un passaggio di collegamento tra l'uno e l'altro, in quanto che dal rifugio si può uscire quando si vuole, purché ovviamente abbiate indossato la vostra tuta antiatomica. L'importante è che ogni volta che rientrate dall'esterno, vi laviate alle apposite docce. »

« Insomma donn'Attì, » precisa Salvatore « basta che ricordate che ogni qual volta andate da donna Margherita vi dovete lavare, prima e dopo la visita; *certo è 'na scucciatura*! Ma se basta questo a evitare il sottopassaggio, è meglio così. »

« Sabato prossimo, in via Petrarca 58, avremo il piacere di mostrarle un rifugio Sicurat nucleo 02 » annunzia Giorgio con una punta di orgoglio. « È il primo rifugio antiatomico che viene installato a Napoli. La dimostrazione avrà luogo alle ore 16 precise. »

« Verrò certamente e ci porterò pure mia moglie, » dice donn'Attilio « voi però non dite niente sul fatto che volevo due rifugi. »

« Non si preoccupi » risponde Giorgio tutto contento per come si è messa la trattativa.

« A proposito, archità, vi volevo chiedere un'altra precisazione: questi rifugi, in attesa che viene la guerra, uno li può usare pure in tempo di pace, o mi sbaglio? »

« Certo che li può usare » annuisce Giorgio. « Voi pensate di usarne uno come deposito? »

« Come deposito, come posto dove nascondersi, e magari anche come fabbrica sotterranea, non so se mi spiego. »

« Non ci sono problemi » risponde Giorgio che non ha ancora capito dove voglia andare a parare donn'Attilio.

« No, perché dovete sapere che io oggi in quella cantina di cui vi parlavo prima, tengo dei macchinari per riprodurre musicassette pirata e filmettini porno. Però la cantina non è molto sicura: la notte si intravede la luce e poi si sente la musica quando è troppo forte. Sto sempre con la paura che la finanza mi arrivi addosso, per non parlare di mia moglie che mi fa le scene di gelosia perché dice che mi vado a vedere i film a luce rossa. Per cui stavo pensando: se un rifugio riesce a non far passare i raggi gamma, dovrebbe resistere anche a mia moglie e alla finanza. »

*

Il rifugio antiatomico arriva una bella mattina all'improvviso. Non sono ancora le otto quando un gigantesco camion, preceduto da due vigili della stradale, si ferma davanti al portone di via Petrarca. La stranezza del carico attira subito l'attenzione dei passanti e malgrado l'ora mattutina il cortile del palazzo viene subito invaso da una enorme folla di curiosi. Chi conosce Napoli può immaginare i commenti dei napoletani: tutti vogliono vedere, toccare, sapere ed entrare nel rifugio.

Le operazioni di scarico sono lunghe e laboriose, in pratica prendono tutta la mattinata. Poi se Dio vuole, eccolo finalmente installato al centro del cortile. Su entrambe le fiancate una scritta a caratteri cubitali: RIFUGIO ANTIATOMICO SICURAT MOD. NUCLEO 02 LUGANO.

Il rifugio si presenta come un grande parallelepipedo rosa, lungo tredici metri e largo tre, con una cabina cilindrica sul davanti, alla quale si accede scendendo dall'alto attraverso una botola, come nei sommergibili. Dal fianco destro fuoriesce un tubo di aerazione di colore argento e sul retro, sempre sul tetto, s'intravede un secondo ingresso a forma circolare con la scritta USCITA DI SICUREZZA. Il tutto ricorda alla lontana il batiscafo di Picard.

Salvatore, autonominatosi «direttore atomico», ha il suo da fare per tenere a distanza gli abitanti del quartiere. A un certo punto è costretto anche a chiudere il portone e a fare entrare in cortile solo gli aventi diritto, ovvero gl'inquilini e le persone benestanti. Ciò nonostante più passano i giorni e più il rifugio perde i suoi connotati svizzeri per assumere quelli popolari di un container napoletano: i ragazzini lo prendono per un'astronave e ci ruzzolano sopra dalla mattina alla sera. Rachelina lo usa per legarci l'estremità di una corda a cui appendere il bucato, e c'è perfino chi, in vista di una futura guerra nucleare, pensa bene di attaccare sulle pareti, proprio accanto alla scritta SICURAT, un paio di immagini adesive del Cuore di Gesù.

La dimostrazione viene fissata per il 13 giugno, giorno di Sant'Antonio. Giorgio si è fatto fare da un pittore d'insegne un grande striscione con la scritta SIETE ANCORA IN TEMPO e da una tipografia di Port'Alba un manifesto che mostra una famiglia che mangia allegramente nel rifugio, mentre sul Golfo di Napoli è appena scoppiata una bomba atomica. Vengono invitati tutti i possibili clienti (donn'Attilio prima degli altri), quindi gli amici, i giornalisti e una Tv locale. E finalmente, atteso dall'intero quartiere, ecco arrivare il gran giorno.

La giornata antiatomica comincia alle sedici in punto con la proiezione del film *Hiroshima, mon amour* di Alain Resnais, presso la sala parrocchiale della vicina chiesa di San Domenico. Giorgio aveva cercato di procurarsi *The Day after* ma non c'era riuscito. *Hiroshima, mon amour* comunque gli andava bene lo stesso per entrare in argomento. Ebbe solo il problema di convincere il parroco che non si trattava di un film a luci rosse.

Verso le sei e mezzo inizia la vera e propria dimostrazione. Tutto il vicinato vorrebbe entrare nel cortile, ma un severo servizio d'ordine, organizzato da Salvatore, concede l'accesso solo agli spettatori in grado di acquistare un rifugio. I curiosi « poveri » invece, trattenuti fuori del portone da uno steccato, riescono a malapena a vedere il tetto del bunker e i tubi di uscita e di entrata con la scritta SICURAT.

Una signora anziana, dopo aver guardato a lungo uno dei manifesti con il fungo atomico sul Vesuvio, si avvicina a don Ferdinando e gli chiede:

« 'On Ferdinà, ma non è che stanno facendo tutta questa pubblicità alla bomba atomica perché hanno saputo che sta per scoppiare un'altra guerra mondiale? Voi che dite: stiamo in pericolo? Vi hanno detto qualcosa? »

« Signò, » risponde don Ferdinando con ostentata indifferenza « *i' nun saccio niente* e comunque, anche se scoppia la guerra, a me *nun me passa manco p'a capa*. Nel rifugio mi rifiuto di entrare: se debbo morire, voglio morire seduto! »

In un angolo del cortile Salvatore e Rachelina hanno allineato su un bancone tutti gli accessori e i capi di abbigliamento necessari in caso di conflitto atomico. Ci sono tute di colore giallo, maschere antigas, polvere anticontaminazione, pile, cassette di pronto soccorso e qualsiasi altra cosa possa servire a superare un periodo di emergenza. C'è perfino una speciale cyclette con la quale, pedalando, si riesce a caricare un generatore di corrente.

« Signò, » dice Rachelina a un'inquilina del palazzo « quando scoppia una bomba atomica la cosa più pericolosa non è tanto la bomba di ferro che vi può cadere addosso, quanto il *fall off* che accompagna tutti gli scoppi. Mi ha detto una signora di Materdei, che tiene una cugina che abita proprio in Giappone e che ne capisce, che si tratta di una puzza insopportabile, ecco perché uno si deve mettere per forza la maschera antigas. Poi la vedete questa polvere? Questa serve contro la contaminazione atomica. Se per disgrazia gli atomi vi salgono sui vestiti, voi con questa polvere li uccidete tutti quanti, a uno a uno. »

Tre amici disoccupati di Salvatore sfilano ininterrottamente intorno al rifugio, indossando la tuta e la maschera antigas, finché, a un certo punto, uno dei tre, il più anziano, si sente male, si toglie la maschera e chiede a Giorgio di essere esonerato.

« Architè, abbiate pazienza, » dice il poveretto « *ma 'ccà dinto me sento 'e murì! Me manca ll'aria!* »

Saverio, in portineria, si è improvvisato professore di fisica nucleare. Ha tra le mani un foglio di carta e spiega a un gruppo di inquilini, alquanto impressionati dalla parola « megatoni », come funziona una bomba atomica.

« Lo schema che adesso vado a mostrare » dice Saverio con tono professorale, disegnando contemporaneamente una serpentina su un cartone « è in pratica la famosa reazione a catena che fu inventata da Enrico Fermi, scienziato italiano. In parole povere ecco a voi la catena che precede lo scoppio di una bomba nucleare da dieci megatoni. Gli atomi corrono lungo questo corridoio fino a raggiungere questa curva. Qui, nel punto che vi mostro, proprio perché c'è la curva, succede che gli atomi si *tozzano* l'uno con l'altro, e allora succede che, *tozzandosi*, provocano una prima esplosione: PAM. Subito dopo però gli atomi riprendono la loro corsa e si trovano davanti a un'altra curva: seconda esplosione e secondo PAM. E questo succede a tutte le curve: PAM, PAM, PAM, finché alla fine si sente l'esplosione finale: BUMMMM. »

« Ma questa non è la bomba atomica, *chisto è 'nu trictrac!* » esclama Capuozzo.

« Sì, » conferma Saverio « ma molto più forte. »

Luigino, fermo davanti al rifugio, forse suggestionato dal colore rosa del bunker, canticchia: « *'na casarella / pittata rosa / 'ncoppe 'e Camaldole / vurria tenè... / peccerenella / p' 'o sposo e 'a sposa / comme a 'na connola / pe mme e pe tte...* »[1]

L'esibizione canora di Luigino viene interrotta dall'arrivo del prete che benedice il rifugio. Tutti i presenti si fanno il segno della croce. Qualcuno volge gli occhi al cielo e si commuove: evidentemente deve essere un imbucato e, dal momento che non vede nel suo immediato futuro un rifugio antiatomico, cerca in alternativa una protezione più qualificata.

Giorgio in tutto questo non ha mai abbandonato donn'Attilio: lo tiene sotto il braccio e gli illustra le qualità del rifugio.

« Donn'Attì, voi state in commercio e quindi lo sapete meglio di me come lavorano gli svizzeri. Usano sempre materiali di primissima qualità. Qui c'è anche il mio direttore

---

[1] « Una casetta / dipinta di rosa / sopra i Camaldoli / vorrei avere... / piccolina / per lo sposo e la sposa / come una culla / per me e per te... »

generale, il dottor Frankfutter, che ve lo può assicurare. »

Frankfutter sorridendo dà la mano a donn'Attilio e conferma, con il suo accento tedesco, le affermazioni appena fatte da Giorgio.

« Tutto il materiale è stato testato nei nostri laboratori di Lugano, secondo quanto prescritto dalle leggi svizzere e ogni elemento ha una sua garanzia illimitata nel tempo. »

« Scusate se m'intrometto, » obietta il solito Capuozzo « ma a me questo fatto delle garanzie mi sembra una presa in giro! Dico io: non è che il giorno dopo, the day after, come dicono gli americani, uno può telefonare alla ditta svizzera e dire: *"Scusate ma 'ccà s'è scassato tutte cose: è entrata anche 'nu poco 'e bomba atomica!"*. »

Lo svizzero, non riuscendo forse a capire bene il dialetto napoletano, non risponde e Giorgio, dopo aver lanciato un'occhiataccia cattiva all'avvocato Capuozzo, presenta Frankfutter a Bellavista.

« Dottore, le presento mio suocero: il professor Bellavista. »

« Molto piacere, Frankfutter » dice lo svizzero inchinando leggermente il capo. « Giorgio è molto bravo e ha davanti a sé un grande avvenire. »

« Un grande avvenire? » chiede con tono leggermente incredulo Bellavista.

« Sì. Giorgio ha un grande avvenire » ripete Frankfutter che quando dice Giorgio pronunzia « Ciorcio ». « Caro professore, lei deve sapere che tutto il mondo occidentale è ormai deciso a proteggersi con rifugi antiatomici. È stato calcolato che in un'eventuale guerra mondiale lo scoppio simultaneo di 1245 bombe atomiche distruggerebbe qualsiasi forma di vita sulla Terra per almeno cinque anni. Solo un'adeguata rete di rifugi sotterranei potrà consentire al genere umano di sopravvivere. Per quel giorno noi contiamo di vendere in Italia almeno due milioni di rifugi e il nostro "Ciorcio" in questo settore potrà guadagnare molti soldi. »

« Che spenderà tutti sottoterra » conclude Bellavista.

Quest'ultima battuta convince Giorgio a evitare altri scambi d'idee tra il suo direttore generale e i napoletani. Tra l'altro le previsioni catastrofiche di Frankfutter, invece di favorire la vendita del rifugio di donn'Attilio, hanno finito con l'influire negativamente sull'umore del nostro commerciante.

« Architè, » dice donn'Attilio « volete che vi dica la verità: se questo deve essere il nostro futuro è meglio morire subito e non ne parliamo più. »

« Non lo dite nemmeno per scherzo, » ribatte Giorgio « noi abbiamo il dovere di sopravvivere! Adesso non state a preoccuparvi, vi faccio vedere quant'è bello l'arredamento del rifugio. »

A un cenno dell'architetto, Salvatore affianca al rifugio una scaletta di legno, appositamente costruita, e sale sul tetto del parallelepipedo. Nel frattempo, Giorgio prende un microfono e si rivolge alla folla dei visitatori:

« Signore e signori, per cortesia, un momento di attenzione: adesso tre persone alla volta, entreremo all'interno del rifugio. Siete pregati di non affollarvi e di stare un po' indietro. Prima o dopo tutti potranno visitare il rifugio. » Quindi rivolgendosi a Salvatore: « Salvatò, apri ».

Un improvviso silenzio accompagna i gesti del vice sostituto portiere che, tirando con entrambe le mani, inutilmente cerca di sollevare la botola di accesso. Dopo una decina di tentativi Salvatore grida:

« Architè, qua la porta è incastrata: non si apre! »

« Non dire sciocchezze, » gli risponde Giorgio « gira bene il maniglione! »

« L'ho girato, architè, e non si apre: pare come se fosse stata chiusa da dentro. »

« Aspetta che vengo su io. »

Giorgio sale anche lui sul tetto e per quanti sforzi faccia non riesce ad aprire.

« *'Nu momento, archité,* » dice Salvatore « *statevi zitto!* A me mi sembra di sentire dei rumori provenienti dall'interno del rifugio. »

Salvatore accosta la bocca al tubo di aerazione e grida: « C'è qualcuno? ».

« Occupato » risponde una voce intubata dall'interno.

« Occupato da chi? »

« Da me. »

L'architetto ha uno scatto d'ira, scosta bruscamente Salvatore e, sempre parlando attraverso il tubo, grida con quanto fiato ha in gola: « Uscite immediatamente, altrimenti chiamo la polizia! ».

« Nossignore, » risponde la voce misteriosa « io esco solo dopo che voi sarete scesi tutti quanti da sopra al rifugio e avrete allontanato la scaletta. »

Giorgio resta per un attimo perplesso, poi si rende conto che non c'è altro da fare e scende insieme a Salvatore. Una volta allontanata la scaletta, Salvatore batte tre colpi sulla parete laterale del rifugio.

« Uè... qua siamo scesi! Adesso uscite voi! »

Passano alcuni secondi senza che nulla succeda, Giorgio chiama accanto a sé due vigili urbani. L'operatore della Tv locale si accosta quanto più è possibile per riprendere l'uscita del misterioso personaggio che ha occupato il rifugio. Finalmente ecco la botola alzarsi ed ecco comparire la figura di un uomo alto e magro.

« Ma *chillo* è Mercalli! » grida Salvatore riconoscendo suo cugino.

« Sissignore, » risponde l'uomo dal tetto del rifugio « sono Scalese Antonio, il cugino di Salvatore, detto Mercalli. Ieri sera sono stato sfrattato dal container che la ditta Later si è ripreso indietro, non essendo stata ancora pagata dal Comune. E questi sono mia moglie e i miei figli: Peppino, Francuccio e Sisina. *Guagliù, ascite!* »

Tra lo stupore di tutti, uno alla volta, escono dalla botola

tre bambini alti e magri, sicuramente figli di Mercalli. Tutti
e tre hanno tra le mani un barattolo di marmellata aperto.

« La riserva di sei mesi! » mormora Giorgio, coprendosi
gli occhi per la disperazione.

« È inutile precisarvi » dice ad alta voce Antonio Scalese
« che non ho alcuna intenzione di abbandonare questa casa.
Se proprio volete un mio parere sul rifugio, debbo comuni-
carvi che purtroppo non è molto comodo: manca di finestre,
fa caldo e ci si sente soffocare, ma d'altra parte non ho scelta,
e fino a quando il Comune non avrà provveduto a darmi un
alloggio adeguato, sarò costretto ad arrangiarmi. »

Uno dei vigili urbani prende la scaletta e sta per avvicinarsi.

« Alto là, » gli grida lo Scalese, facendo rientrare precipi-
tosamente tutta la famiglia nel rifugio « avviso la forza pubblica di non tentare lo sfratto con la forza. Il rifugio è, come
suol dirsi, "a prova di bomba" e secondo quanto dice il dépliant svizzero, abbiamo una riserva alimentare per sei mesi. » Poi, rivolgendosi a Giorgio con aria di rimprovero:
« *Ce manca sulo 'o cafè* ».

Giorgio allarga le braccia come per scusarsi.

« Ora, correggetemi se sbaglio, » continua Mercalli « se
una famiglia svizzera, con questa riserva ci campa sei mesi,
una famiglia napoletana ci sopravvive almeno un anno. »

« Egregio signore, » lo interrompe Frankfutter « debbo informarla che il nostro rifugio è abitabile solo in caso di
guerra. »

« E io, caro signore, » gli risponde Mercalli, imitandone
l'accento tedesco « la informo che per quanto mi riguarda
la guerra è già scoppiata! »

Socrate e gli Ufo

:ll omnll sl

Socrate. Salve, Eupolemo, finalmente sei di nuovo qui tra noi; se la memoria non m'inganna sono trascorsi almeno tre mesi da quando partisti per Larissa.

Eupolemo. Tre mesi esatti, o Socrate. L'ultimo giorno che ci siamo visti fu il quarto delle Panatenee. Ricordo ancora che, appena scesi dall'Acropoli, ci recammo insieme in casa di Filosseno e che lì, dopo un buon bicchiere di Tachos, tu mi parlasti degli Dei e del Fato, e di come il Fato fosse sempre il più potente fra tutti gli Dei.

Socrate. E per quale motivo questa volta ti sei tanto trattenuto nella tua città natale? Non eri tu quello che accusava i tessali di essere tutti fannulloni e superficiali?

Eupolemo. Sì, ma un luttuoso evento mi ha colpito: ho perso mio padre e ho dovuto badare agli affari della famiglia, essendo ancora i miei fratelli in età minore.

Socrate. Mi dispiace davvero. Accetta le mie parole di conforto, anche se tardive.

Eupolemo. In fondo, non c'è da dolersene troppo, o Socrate: mio padre era vecchio e aveva già vissuto una lunga vita adeguata ai suoi desideri.

Critone. Scusami se m'intrometto, o Eupolemo, ma anch'io sono vecchio e anch'io ho sempre vissuto a mio piacimento, eppure i miei figli si dispiacerebbero a vedermi morire.

Eupolemo. Non solo i tuoi figli, o Critone, ma tutti gli

uomini giusti di Atene piangerebbero la tua scomparsa.

Socrate. E dimmi, Eupolemo: come hai trovato questa volta
    i tessali?

Eupolemo. Sono sempre gli stessi, o Socrate, prima s'in-
    ventano le cose e poi le giudicano vere. Uno dei miei
    concittadini a esempio, un certo Prestiforemo, giura di
    avere incontrato una notte, tra gli ulivi della sua terra,
    un extraterrestre in carne e ossa...

Critone. Un extraterrestre?

Eupolemo. Sì, un omuncolo di colore verde con due occhi
    sul davanti e due sul didietro, e con in testa un orec-
    chio rotante per captare i suoni. Ebbene i tessali, in-
    vece di canzonarlo come avrebbe meritato, gli hanno
    prestato fede e portato doni. Ora addirittura il marpio-
    ne rifiuta di lavorare la terra e preferisce vivere alle
    spalle della polis, raccontando in continuazione sem-
    pre la stessa storia. Mi è stato riferito che per due mine
    è disposto anche a disegnare su una tavoletta il corpo
    dell'alieno.

Socrate. È singolare come tutti quelli che hanno visto esseri
    di altri mondi ce li descrivano sempre di colore verde e
    mai di un altro colore!

Eupolemo. Probabilmente per distinguerli meglio da noi ter-
    restri. A un uomo che ha visto un extraterrestre giallo
    gli si potrebbe obiettare che ha incontrato un cinese!

Critone. Dice Anassagora, dotto in cose celesti, che fino a
    oggi sono stati segnalati più di duecentomila avvista-
    menti di Ufo, e che nella foresta di Oreos, nell'Eubea,
    sono state rilevate impronte gigantesche a forma di
    zampe di gallina.

Socrate. Se qualcuno ha visto dischi volanti e uomini verdi a
    passeggio per i boschi, e nel contempo è uomo degno di

stima, non vedo perché non credergli sulla parola; tuttavia a me sembra strano come per ben duecentomila volte questi esseri misteriosi abbiano visitato la Terra e poi si siano dileguati nel nulla. Tu, o Eupolemo, sei partito questa mattina da Larissa e immagino che tu abbia impiegato un certo tempo per arrivare ad Atene.

Eupolemo. Cinque ore e dieci minuti, da casello a casello.

Socrate. E appena giunto in vista delle mura di Temistocle non hai cambiato idea e invertito la marcia per tornare a Larissa?

Eupolemo. Non lo avrei mai fatto, o Socrate: se sono venuto ad Atene è perché avevo uno scopo preciso che era appunto quello di incontrare te e Critone.

Socrate. Anche gli extraterrestri, debbo presumere, avranno un loro scopo, altrimenti, non avrebbero mai intrapreso un così lungo viaggio. Immagino che essi siano ricercatori di civiltà galattiche o persone comunque interessate ai mille e mille interrogativi che la natura può porre agli esploratori dello spazio: materie fino a questo momento ignote, invenzioni strane, alimenti diversi, usi e costumi locali e via di seguito. Ebbene, secondo gli assertori della presenza degli extraterrestri sulla Terra, gli alieni finora avvistati, dopo un viaggio estremamente noioso di due o trecentomila anni, si sarebbero mostrati per qualche attimo a un contadino qualsiasi per poi iniziare immediatamente il viaggio di ritorno.

Eupolemo. Certo che è poco credibile.

Socrate. È come se Cristoforo Colombo, una volta avvistate le spiagge dell'America, subito dopo aver udito il suo mozzo gridare «terra, terra!» avesse detto all'equipaggio: «Bravi ragazzi, adesso torniamo subito in Spagna che la regina Isabella sta in pensiero»; proprio mentre

un indigeno stava correndo dal suo capo per dirgli: «Io
questa mattina avere visto tre caravelle-Ufo».

Critone. Così dicendo, o Socrate, vuoi forse dire che noi
siamo i soli abitanti dell'Universo?

Socrate. Non oserei mai dirlo, o Critone, anzi, se proprio
vuoi sapere come la penso, ti dirò che nell'Universo ci
sono migliaia e forse milioni di pianeti abitati; solo che
questi mondi non comunicano tra loro a causa delle
immense distanze che li separano. Democrito un giorno
mi disse che sui pianeti a noi più vicini non ci può essere
alcuna forma di vita: Mercurio è una palla infuocata e
lo stesso dicasi di Venere dove le temperature superano
i mille gradi. Da Marte in poi, invece, i pianeti, per via
della loro lontananza dal Sole, sono più freddi dei
ghiacciai del Caucaso. Così stando le cose, per trovare
un ambiente più o meno simile al nostro, è giocoforza
spostarci su un altro sistema solare.

Critone. E quale potrebbe essere il Sole di quest'altro sistema?

Socrate. Una stella chiamata Alpha Centauri. Secondo Democrito, è così vicina a noi che, a vederla da un altro
punto della Galassia, sembrerebbe attaccata al nostro
Sole così come coloro che hanno la vista acuta vedono
Mizar attaccata alla sua gemella.

Eupolemo. Ebbene, non può essere che a una certa distanza
da questa stella, pari a quella che ci separa dal Sole, ci
sia un pianeta simile al nostro, con la stessa temperatura, con la stessa atmosfera e con un altro Socrate che
proprio in questo momento sta ragionando sulla nostra
esistenza?

Socrate. È molto probabile che così sia; sennonché per raggiungere questo pianeta impiegheremmo tanto di quel

tempo, ma tanto (centomila anni ad andare e centomila a tornare) che nessuna spedizione potrebbe mai raccontarci le meraviglie che ha visto. Ecco perché io sono convinto che il primo incontro con un individuo di un altro mondo non potrà mai essere ravvicinato, bensì di tipo radioastronomico. Un bel giorno accadrà che uno dei tanti radiotelescopi puntati verso gli spazi interstellari capterà un segnale diverso da tutti gli altri. In quel momento i nostri astronomi si daranno da fare per decifrarne il contenuto e, usando lo stesso codice, rispondere con un altro messaggio.

Eupolemo. E come spieghi, o Socrate, che tante persone giurino di aver già visto degli alieni e di averci parlato?

Socrate. L'animo dell'uomo ha bisogno di nutrirsi di speranza, così come lo stomaco ha bisogno di cibo. La vita invece spesso è amara e non concede scappatoie ai desideri dei mortali. Alcune verità sono senza alternativa: tutti dobbiamo morire, chi è brutto non potrà mai diventare bello, chi è vecchio non potrà mai ritornare giovane e chi vive una vita opaca e senza entusiasmi sa che molto difficilmente riuscirà a cambiarla. E allora che fare? Non resta che rifugiarsi nel mistero, evadere nel trascendente. Ed ecco fiorire da ogni parte le favole, i miti, gli extraterrestri, gli oroscopi, le droghe e gli estremismi politici. Appena nasce la domanda sul mercato, subito appare l'offerta: spuntano come funghi gli sfruttatori delle angosce altrui, gli indovini, i capipopolo, gli spacciatori di droga e i venditori di biglietti della lotteria.

Eupolemo. E cosa si potrebbe fare contro questi mercanti?

Socrate. Bisognerebbe cacciarli dai templi! Io ormai sono vecchio e non ho più la forza per simili battaglie. Spetterebbero semmai a te Eupolemo, che sei giovane e robusto.

Eupolemo. Ti ringrazio per i consigli che mi dài e per le tue illuminanti parole. Ora però ti lascio, o Socrate, e lascio a malincuore anche te o Critone, perché ho un appuntamento con Simmia il tebano davanti al cinema Apollo... Questa sera c'è la prima mondiale del *Ritorno di ET sulla Terra* e io e Simmia non vogliamo arrivare in ritardo.

Il sosia

« Professò, » chiede Salvatore « ma chi è stato il primo a organizzare le Olimpiadi? »

« Le origini sono incerte, diciamo che si perdono nella notte dei tempi » risponde Bellavista. « C'è chi ne attribuisce il merito a Ercole, chi ad Achille e chi a Ifito re dell'Elide nel 776 avanti Cristo. »

Il professore e i discepoli sono appena tornati dalla passeggiata del pomeriggio: via Petrarca, via Manzoni, Parco della Rimembranza e ritorno con sosta e caffè al bar Miramare. Malgrado ci troviamo in pieno gennaio, il cielo è di un azzurro intenso, limpidissimo, e la temperatura è così mite da sembrare che sia già arrivata la primavera. Il gruppo dei peripatetici, sempre con il professore in testa che parla ad alta voce, entra nel portone e continua la conversazione in portineria.

« La Grecia di quel tempo era un universo in miniatura » dice Bellavista dopo essersi seduto nella poltrona a lui destinata. « Voi ve la dovete immaginare come un insieme di paesi, ognuno grande come Afragola, e tutti in guerra tra di loro. In pratica era impossibile vivere una intera vita senza litigare con i vicini. Gli schiavi lavoravano dalla mattina alla sera e i cittadini facevano l'unica cosa che sapevano fare: la guerra! Pensate che durante i rari periodi di pace i giovanotti spartani, la sera, non sapendo che fare, scioglievano una decina di schiavi e poi li inseguivano per tutta la notte, chi li trovava per primo, li ammazzava. »

« E chi non aveva il fisico adatto per fare questa vita? » chiede Saverio.

« Era considerato uno *scarrafone* » risponde Bellavista « e correva il rischio di esser fatto fuori subito, non appena nasceva. »

« Mamma mia bella! » esclama Salvatore alquanto impressionato.

« Salvatò, » lo sfotte immediatamente Saverio « a te ti avrebbero messo subito in un sacchetto a perdere. »

« Tra i tanti staterelli greci » continua Bellavista « ce n'era uno, l'Elide, che confinava proprio con Sparta, la più battagliera di tutte le città. Un giorno Ifito, il re dell'Elide, essendo molto preoccupato per questi vicini così bellicosi, disse ai suoi sudditi: "*Guagliù*, qua stiamo veramente inguaiati: o ci prepariamo a combattere gli spartani, e acchiappiamo un sacco di mazzate, o riconosciamo il loro predominio militare, e allora quelli ci fanno fare la loro stessa vita. L'unico modo per salvarci sarebbe quello di rendere il nostro suolo un terreno sacro". Fu così che, piano piano, misero in giro la voce che Giove, quand'era bambino, aveva giocato nei boschi dell'Elide e che, sempre lì, Ercole aveva vinto i suoi fratelli in una gara di lotta. Basta, una volta trovata la formula per sopravvivere, non ci furono più problemi: la città di Olimpia fu dichiarata terreno neutrale e, una volta ogni quattro anni, tutti gli stati della Grecia mandarono i loro campioni più bravi a gareggiare tra loro. Durante il periodo dei giochi qualsiasi guerra veniva sospesa. »

« E gareggiavano solo gli uomini, è vero? » chiede Saverio.

« Alle donne era proibito anche di stare a guardare, pena la morte! Una volta ce ne fu una, Callipatira, che volendo seguire il figlio che gareggiava, si travestì da allenatore, sennonché, quando il figlio vinse, lo abbracciò con tale commozione che tutti si accorsero che era una donna. Da quel giorno fu stabilito che chiunque entrasse in campo fosse completamente nudo. »

« Ma guadagnavano bene gli atleti? »

« Altroché! Quando vincevano un'olimpiade si mettevano a posto per tutta la vita: loro e tutta la discendenza. Guadagnavano tanto che molti filosofi, tra cui Senofane e Platone, si scandalizzarono che in Grecia i muscoli fossero più retribuiti del cervello. »

« Insomma tutto come adesso, professò » commenta Salvatore. « Da che mondo è mondo è sempre stato più conveniente fare il calciatore che il professore di università. Prendiamo il caso di Maradona: noi napoletani non abbiamo gli occhi per piangere, eppure ci siamo andati a comprare il giocatore più caro del mondo! »

« Francamente, professò, » interviene Saverio « questo fatto che i napoletani sono poveri non mi convince tanto: ho l'impressione che a rimanere poveri siamo rimasti solo un paio e che invece tutti gli altri stanno pieni di soldi. »

« E come ti è venuto questo pensiero così all'improvviso? » chiede sorpreso Salvatore.

« Vedi, Salvatò, io qualche sospetto sulla ricchezza dei napoletani l'ho sempre avuto: troppe automobili, troppi televisori a colori, troppa gente che va al ristorante la sera. Ma la prova matematica me l'ha data la *monnezza*. »

« *'A munnezza?* »

« Sissignore: *'a munnezza* » conferma Saverio. « Vedete, io, modestamente, per quanto riguarda l'immondizia, sono un tecnico. Faccio il netturbino da cinque anni e vi assicuro che con un colpo d'occhio, senza nemmeno aprire il sacchetto a perdere, v'indovino il tenore di vita di una famiglia dall'immondizia che porta giù al palazzo. Se fossi il ministro delle Finanze, per gli accertamenti fiscali, come prima cosa controllerei la *monnezza* di tutti i contribuenti. Ora invece l'Istat, per stabilire il reddito medio di una città, si rifà alle statistiche delle dichiarazioni dei redditi, e allora per forza che Napoli finisce agli ultimi posti. »

« Professò, » dice Luigino alzandosi in piedi « permettete un pensiero poetico?

> « *dalle Alpi alle Piramidi*
> *dall'Asia ai Pirenei*
> *dammi la tua immondizia*
> *e ti dirò chi sei!* »

In quel momento un frastuono tremendo viene dalla strada: si sentono applausi, grida di evviva, frastuoni di clacson. Salvatore si alza e va a vedere che cosa succede. Dopo qualche secondo torna con aria stralunata.

« Professò, qua fuori ce sta Maradona! Sissignore, proprio Maradona in carne e ossa! È stato bloccato dai tifosi che vogliono l'autografo. Ci sono più di un centinaio di... »

Salvatore non fa a tempo a terminare la frase che un gruppo di persone irrompe nella portineria. In testa a tutti c'è Maradona con il suo manager e un fotografo.

« *Calmense muchachos, calmense: nada de autógrafos* » grida l'accompagnatore argentino difendendo Maradona col proprio corpo. Poi rivolto a Bellavista e agli altri: « *Señores, perdónenme por la invasión* ».

« *Priego* » risponde cortesemente Salvatore, cercando di parlare spagnolo.

« *Por favor,* » dice ancora l'argentino a Salvatore « *le diga a los tifosos que Dieguito no puede conceder autógrafos. Pueden solo sacarte algunas fotos si entran uno a la vez.* »

Maradona appare terrorizzato. Il suo manager però non si perde d'animo: fa entrare solo quelli che vogliono farsi la foto accanto al campione. Fuori al portone viene organizzata una fila. A Salvatore vengono date diecimila lire perché mantenga l'ordine. Il fotografo pretende il pagamento anticipato da ogni persona che entra: cinquemila a foto con l'impegno che una volta stampate, le copie verranno tutte autografate da Maradona.

« *Quante sì bello Dieghito!* » urla un tifoso cercando di abbracciare il campione. « *Tu ce 'a fà vencere 'o campionato!* »

« *Rapido, señor,* » lo sollecita Maradona scansandosi « *rapido que tengo que volver a casa.* »

Per far prima i tifosi vengono portati dentro due alla volta. Per ogni coppia c'è appena il tempo per una stretta di mano di Maradona, poi il flash del fotografo e via con altri due. Alla fine, arriva un altro argentino che grida:

« *Vamos, Maradona vamos!* »

In un battibaleno, così come sono entrati, spariscono tutti e dopo qualche minuto compaiono in portineria il commissario Di Domenico e l'appuntato Colapietro.

*

« Professò, buongiorno » saluta il commissario. « Da quanto tempo se n'è andato il falso Maradona? »

« Da meno di cinque minuti » risponde calmo Bellavista. « Ho capito subito che si trattava di un travestimento, però ero curioso di vedere come andava a finire. »

« Commissà, » dice Rachelina, la moglie di Salvatore, mostrando una « napoletana » « *vulite 'nu cafè?* »

« Veramente noi dovremmo andare » risponde il commissario, incerto se fermarsi un po' a parlare col professore.

« Commissà, » suggerisce l'appuntato Colapietro « e dove andiamo? Ormai i Sorrentino se ne sono scappati e per stasera sicuramente non li pigliamo. Piuttosto cerchiamo di sapere chi è questo fotografo. Salvatore ce lo potrebbe descrivere. »

« Ma chi sono? » chiede Bellavista.

« Niente: è delinquenza minore » commenta Di Domenico con un certo disgusto. « Si tratta dei fratelli Sorrentino, più volte finiti dentro per piccole cose: raggiri, *scartiloffi* e truffe da due soldi. Un mese fa, durante le feste di Natale, avevano finalmente trovato un lavoro onesto: il fratello più piccolo, Vincenzino, sfruttando una sua rassomiglianza con Maradona, si faceva fotografare in Villa Comunale. Ora, come voi sapete, durante le feste tutti i bambini amano farsi la foto vicino a Babbo Natale, sennonché, quest'anno a Napoli, con l'aumento della disoccupazione, c'erano più Babbi Natale che bambini, ragione per cui l'idea di farsi fotografare con Maradona funzionò benissimo. Natale però a un certo punto è finito e i fratelli Sorrentino non si sono voluti rassegnare all'idea, e allora hanno continuato con le fotografie, questa volta però spacciando Vincenzino per il vero Maradona. Se fosse per me io li lascerei pure fare; purtroppo però ho avuto delle denunzie e quindi sono stato costretto a intervenire. »

« Ma chi è che li denunzia? » chiede Bellavista.

« Il problema è complesso » spiega il commissario, ormai deciso a non muoversi per almeno un'altra mezz'ora. « Caro professore, voi dovete sapere che insieme al calciatore, che è un bravissimo ragazzo, è arrivata anche una organizzazione commerciale molto importante la "Maradona Production" che poi è la sola a poter sfruttare l'immagine del campione argentino. Questa ditta svolge un lavoro che ha un nome americano che io adesso non pronunzio bene perché non conosco l'inglese, ma è come se fosse *marciandis* o *marciandais*, insomma una cosa così, che comunque in parole povere vuol dire che se voi vi comprate un oggetto, che so io un bicchiere, con la faccia di Maradona stampata sopra, la "Maradona Production" deve avere una percentuale su quel bicchiere. »

« Hai capito, » esclama Saverio « le pensano tutte! »

« Sì, però che è successo? » continua Di Domenico. « Alla "Maradona Production" adesso stanno tutti incazzati: e già perché quando si trasferirono a Napoli, arrivarono con un mese di ritardo e trovarono che i napoletani, tutto quello che si poteva fare con la faccia di Maradona, lo avevano già fatto. Dovunque andavate voi trovavate: foto di Maradona sui diari dei bambini, teste di Maradona dietro alle automobili con gli occhi rossi che si accendevano insieme agli stop, mutande di Maradona, magliette di Maradona, asciugamani di Maradona, e, sulle bottiglie di pomodoro, tappi di colore azzurro con sopra la testa di Maradona; a Borgo Sant'Antonio Abate c'era perfino una bancarella con le parrucche di Maradona, per cui, ogni qual volta vedevate un gruppo di ragazzini che giocavano a palla in mezzo alla strada, sembrava di assistere a una partita con ventidue Maradona. »

« Certo che Napoli, quando si tratta di guadagnare qualcosa di soldi, ha una velocità sorprendente! » esclama con orgoglio Salvatore.

« È l'eterna arte di arrangiarsi che viene fuori non appena trova uno spiraglio di vita » commenta il professore. « E anche questa caratteristica la dobbiamo ai greci. »

« In che senso, professore? » chiede il commissario.

« In Grecia l'arte d'arrangiarsi aveva addirittura un Dio protettore: si chiamava Poro, ovvero "l'Espediente" o se preferite "l'arte d'arrangiarsi", » precisa il professore « un Dio che veniva invocato dai poveri quando si trovavano in difficoltà. Ce ne parla Platone in uno dei suoi dialoghi più belli: il *Simposio*. »

Alla parola Platone tutti si dispongono intorno al professore per ascoltare meglio. Nella portineria di via Petrarca 58, Platone ha un largo seguito, merito di Bellavista che nei suoi racconti ha saputo renderlo familiare.

« L'argomento è l'Amore, » comincia Bellavista « e in questo dialogo Platone fa dire a ogni personaggio un'opinione sul tema. Quando arriva il suo turno, Socrate ci fa sapere come nacque l'Amore. »

« Il professore è molto devoto a Socrate » dice sottovoce Salvatore al commissario.

« Socrate racconta che un giorno tutti gli Dei dell'Olimpo furono invitati a un grande banchetto per festeggiare la nascita di Afrodite, a eccezione di Penìa, la Dea della Povertà, che proprio perché povera non era stata invitata. »

« *Azze!* » esclama Saverio. « Ma questi Dei dell'Olimpo *sò tale e quale* a una famiglia che conosco io, quella dei baroni Santorsola Davalós: tutti con la puzza sotto il naso! »

« Praticamente uguali » conferma Bellavista. « Comunque Penìa andò lo stesso alla festa, ma rimase fuori dalla porta del... »

« ...del ristorante... » suggerisce Salvatore.

« ...del luogo dove si svolgeva il banchetto, nella speranza che qualcuno degli invitati le buttasse qualcosa da mangiare. Poro quella sera aveva bevuto molto nettare, praticamente si era ubriacato, per cui a un certo punto pensò bene di uscire a prendere una boccata d'aria. Sennonché, al contatto con l'aria fresca ebbe un giramento di testa e svenne, proprio ai piedi di Penìa. A questo punto la Dea della Povertà capì che doveva approfittare dell'occasione per risolvere tutti i suoi problemi. Pensò: "Qua davanti a me c'è Poro, l'Arte d'Arrangiarsi, il più furbo di tutti gli Dei. Solo un Dio come questo qui mi può aiutare!". Senza perdere tempo si accoppiò con lui e dalla loro unione nacque Amore. »

« Si accoppiarono fuori dalla sala del banchetto? » chiede Salvatore alquanto stupito.

« La storia ha una sua morale » continua il professore. « L'Amore per Socrate è figlio della Povertà, e questo è un concetto che lo avvicina a Gesù, ma è anche figlio dell'Inventiva, e questo lo avvicina a Darwin. Socrate dice che Amore è un giovanotto non bello, ma amante del bello, perché concepito lo stesso giorno in cui nacque Afrodite e poi aggiunge testualmente: "È squallido, scalzo, peregrino, uso a dormir nudo e frusto per terra, sulle soglie delle case e per le strade, le notti all'addiaccio, perché conforme alla natura della madre, ha sempre la miseria in casa. Ma da parte del padre è insidiatore dei nobili, coraggioso, audace, risoluto, cacciatore tremendo, sempre pronto a escogitar trucchi d'ogni tipo e curiosissimo d'intendere, ricco di trappole, intento tutta la vita a filosofare, terribile ciurmatore, stregone e sofista". »

La lunga citazione per poco non strappa un applauso ai presenti. In particolare il commissario Di Domenico si dimostra il più interessato di tutti.

« Insomma, professò, » commenta il commissario « Platone, molti secoli prima della nascita di Napoli, aveva già fatto l'identikit preciso del *mariunciello* napoletano! Quello che però non ho capito è che c'entra tutto questo con l'Amore. »

« L'Amore, per Socrate, non può nascere che dalla Necessità e io adesso ve lo dimostro » dice Bellavista alzandosi in piedi. « Se in questo momento Salvatore esce per strada e trova per terra un portafoglio con dieci miliardi di lire, in contanti, che fa? »

« *Foss'a Madonna!* » esclama Salvatore, i cui occhi si mettono a brillare solo all'idea di trovare un portafoglio con dei soldi. Temendo però che l'auspicio possa non avverarsi per troppa avidità, aggiunge: « Professò, è meglio che facciamo un milione e mezzo, dieci miliardi mi sembrano troppo un'esagerazione ».

« No, dieci miliardi » ripete Bellavista alzando la voce. « E allora io ti chiedo, caro Salvatore: come cambierebbe la tua vita se tu adesso trovassi dieci miliardi per terra? »

« Ma è impossibile! » risponde ingenuamente Salvatore.

« Lascia stare se è possibile o impossibile! » sbotta il professore che sta quasi per spazientirsi. « Rispondi alla domanda: che cosa faresti se in questo momento possedessi dieci miliardi? »

Salvatore si guarda in giro un po' spaurito: non sa cosa rispondere, guarda Saverio per farsi suggerire. Poi, a bassa voce, quasi vergognandosi, prova a dire:

« Mi comprerei un appartamento. »

« Un appartamento con dieci miliardi! Solo un appartamento! Io penso che ti compreresti almeno una villa. »

« Sì, sì, una villa, una villa! » fanno eco tutti gli altri.

« È logico, professò, che si deve comprare la villa » precisa Saverio come se l'ipotesi fosse vera. « Con dieci miliardi Salvatore non può vivere in un condominio come un fetente qualsiasi! Invece lui si compra una grande villa di tre piani, a Posillipo, con discesa a mare, una garçonnière per gli amici e un enorme parco per farci tutti insieme delle belle passegseggiate. »

« Una villa con un cancello? » chiede sempre più incalzante il professore.

« Un cancello? » esclama Saverio, impedendo al neomiliardario Salvatore di rispondere di persona. « Sì, però deve essere alto cinque metri. Poi vogliamo un muro di cinta, con tanto di ferro spinato e sistema d'allarme. Noi con dieci miliardi non possiamo correre rischi! Io se fossi a Salvatore mi terrei pure una decina di dobermann sparpagliati per tutto il parco. »

« Ma allora ci vogliono pure i gorilla, » suggerisce il commissario « non ci dimentichiamo dei sequestri di persona. »

« A me veramente » propone con timidezza Salvatore « mi piacerebbe tanto tenere un segretario. »

« Benissimo, » conclude Bellavista « e allora da quello che ho capito, non appena Salvatore diventa miliardario, chiunque vorrà mettersi in contatto con lui dovrà prima suonare a un cancello, poi parlare con i gorilla, poi con il segretario, poi con i dobermann e finalmente riuscirà a vederlo! E nel frattempo lui resterà solo, chiuso in casa insieme ai suoi dieci miliardi, con l'orecchio teso per la paura di essere derubato. Diventerà diffidente, duro di cuore, e guarderà tutti gli altri dall'alto in basso. No signori miei: ringraziando Iddio, il nostro Salvatore non ha trovato nessun portafoglio, per cui avrà sempre bisogno di soldi e questa sua

Necessità lo spingerà a vivere con il prossimo e ad amare per essere amato. »

« Professò, mi avete conv ito » confessa Salvatore. « Io adesso, quando esco fuori, peɪ paura di trovare dieci miliardi per terra, non voglio nemmeno guardare dove metto i piedi! »

*

« Salvatore... Salvatore » chiama Cazzaniga affacciandosi in portineria.

« Dite, dottò » risponde il vice sostituto portiere, andandogli incontro.

« Avrei bisogno di un favore: solo lei può farmelo » dice Cazzaniga con un certo imbarazzo. « Domenica prossima vengono a Napoli due miei nipoti da Milano per vedere l'Inter... Ora io non vorrei disturbarla, ma siccome non ne capisco nulla di calcio e non so dove... »

« Non vi preoccupate che qua ci sta Salvatore vostro che vi risolve qualsiasi problema: dite senza paura. »

« Le stavo dicendo che questi miei nipoti mi hanno telefonato per farsi comprare due biglietti di tribuna della partita Napoli-Inter, ma io non so nemmeno dove si vendono. »

« E infatti non si vendono. »

« Come non si vendono? »

« Diciamo che si vendono e non si vendono. »

« Salvatore, mi scusi, oggi non ho tempo per gl'indovinelli: sono quasi le otto e debbo andare in ufficio. Io vorrei dare a lei i soldi per i biglietti e chiederle la cortesia di... »

« Dottò, » lo interrompe Salvatore guardandolo fisso negli occhi « io a voi non vi capisco: ma siete o non siete il capo del personale dell'Alfa Romeo?... E allora perché vi svegliate di notte per arrivare puntuale a Pomigliano d'Arco? Uno per questo cerca di diventare il capo in una azienda: per potersi alzare un poco più tardi, altrimenti nessuno farebbe il capo. Il professor Bellavista dice sempre: "Comandare è una scocciatura: meno male che c'è tanta gente che è disposta a farlo al nostro posto!".»

« Salvatore, mi scusi, ma ho fretta » risponde Cazzaniga, abbandonandolo e avviandosi verso la macchina. « Un'altra volta sarò lietissimo di discutere con lei le motivazioni di un capo, per il momento le chiedo solo la cortesia di procurarmi due biglietti per la partita Napoli-Inter. »

« Questo senz'altro, » lo rassicura Salvatore correndogli dietro « ma siccome l'unico che ce li può procurare è un mio fratello cugino che abita vicino a piazza Arenella, e voi proprio di lì dovete passare, se mi posso permettere, io adesso verrei con voi in macchina, così li compriamo stamattina stessa. »

I due entrano nell'auto. Cazzaniga mette in moto e attende come da istruzioni che l'auto si riscaldi.

« Complimenti, dottò: com'è bella questa macchina! » dice con entusiasmo Salvatore guardandosi in giro. « È nuova, eh? »

« Sì, è la nuova Alfa 75. »

« È bellissima, e poi tiene tutte queste luci! Dottò, che cos'è questo? » chiede Salvatore indicando un quadro di comandi.

« È il Trip-computer. »

« Il Trip-computer? Voi che dite! » esclama Salvatore con ammirazione; poi aggiunge: « Praticamente, se ho ben capito, voi con questo Trip-computer state senza pensieri, è vero o no? ».

« Sì » risponde asciutto Cazzaniga che evidentemente la mattina presto non ha poi tanta voglia di parlare e sta cominciando a temere le conseguenze di questa passeggiata con Salvatore.

« Dottò, » insiste Salvatore che poi, quando si fissa con qualcosa, non molla tanto facilmente « ma in parole povere questo Trip-computer che fa? »

« Le dà delle notizie sul funzionamento dell'auto. »

« Sul funzionamento? »

« Sì. »

« E poi? »

« Senta Salvatore che le prende stamattina? » sbuffa Cazzaniga. « Che vuole da me? Vuole comprarsi un'Alfa 75? »

« No, per carità, io volevo sapere solo una cosa: se si scassa il Trip-computer, voi camminate lo stesso? »

« Sì. »

« E allora significa *ca 'stu Trip-computer nun serve a niente*! »

« Senta, piuttosto, » lo interrompe Cazzaniga « questo suo... fratello... questo suo cugino... »

« Fratello cugino » precisa Salvatore.

« Non so cosa sia un fratello cugino, » continua Cazzaniga un po' infastidito « comunque non ha importanza. Le chiedo solo: questo suo parente abita molto lontano dalla tangenziale? »

« Nossignore: quello sta di casa proprio affianco all'uscita di piazza Arenella, noi in cinque minuti saliamo e compriamo i biglietti. Io ve lo voglio far conoscere perché è tanto un bravo ragazzo! Fino a poco tempo fa era disoccupato, poi si è sistemato nel Calcio Napoli e ha fatto carriera. »

« È impiegato al Calcio Napoli? »

« No, Dottò, non è impiegato! Quello fa il bagarino. »

« Il bagarino? E lei dice che si è sistemato! »

« Sì, perché adesso non fa più il *volante*: i *boss* hanno cominciato a volergli bene e da un anno a questa parte fa il *padroncino*, ha la sua *paranza*. »

« Salvatore, mi scusi, » chiede Cazzaniga « sarà che io non ne capisco nulla di calcio, ma che cos'è il *volante*? »

« Il *volante* sarebbe il dettagliante, quello che va in giro intorno allo stadio a vendere i biglietti. Il *padroncino* è quello che compra lo stock dei biglietti e li distribuisce a tutta la *paranza* dei *volanti* e i *boss* sono i finanziatori, ovverosia quelli che stanno nelle retrovie, che tengono i soldi e che hanno il rischio-pioggia. »

« Ma quante persone fanno questo lavoro? »

« In Italia circa duemila e sono quasi tutti napoletani. »

« Duemila! Duemila persone che vendono biglietti per le partite del Napoli? »

« No, non solo per le partite del Napoli, per tutte le manifestazioni. Se voi per esempio andate al Gran Premio di Monza... a Wimbledon alla Coppa Davis... alla Scala di Milano... oppure in Germania a vedere Amburgo-Real Madrid e trovate dei bagarini, state sicuri che sono napoletani. »

« E guadagnano molto? »

« È un mestiere da scommettitore: possono guadagnare e possono perdere » risponde Salvatore con competenza e un pizzico di ammirazione. « In pratica loro comprano prima, quando non si sa ancora se pioverà o non pioverà. Rischiano di persona come se fossero una Società di Assicurazioni. »

« In che senso? » chiede Cazzaniga.

« Adesso ve lo spiego piano piano » dice Salvatore, parlando lentamente come se Cazzaniga fosse un ritardato. « Non pensate al Calcio Napoli che è una grande Società e che magari non ne ha bisogno, ma fate l'esempio di una piccola squadra di paese, una squadretta che gioca in serie C2 o in serie Promozione: in questo caso, se un *boss*, prima che comincia il campionato, si compra il 50 per cento dei biglietti di tutto l'anno a prezzo inferiore, la piccola società si sente più tranquilla e, con i soldi anticipati dai bagarini, è in grado di progettare la sua campagna acquisti. »

« Quindi fanno del bene allo sport? »

« Sì » conclude Salvatore. « Insomma, come vi dicevo prima, sono una Società di Assicurazioni che può perdere o guadagnare, a seconda di come va la squadra e a seconda che nelle domeniche in cui si gioca, piove o non piove. Questo è tutto. »

*

« Vorrei due tribune numerate. »

« Fanno cinquantamila lire al pezzo: due pezzi centomila lire » risponde con tono professionale Gaetaniello detto « lo studente ».

« Centomila lire due tribune?! » esclama Cazzaniga.

« Dottò, » precisa lo studente « evidentemente voi sui prezzi siete poco informato: un pezzo di numerata, se si vendesse, costerebbe al botteghino quarantacinquemila lire, metteteci diecimila di sgobbo e fanno cinquantacinquemila. Ma dal momento che siete amico di mio cugino, vi ho fatto un trattamento di favore. Se poi volete risparmiare vi posso dare due pezzi di curva a ottomila lire l'uno. »

« No, grazie: è che mi sembravano tante centomila lire per vedere una partita di calcio! »

« E siete stato pure fortunato: questi pezzi che vi sto dando adesso, mi sono arrivati proprio stamattina da Milano. »

« Ma a Milano non ci sono più biglietti in vendita per Napoli-Inter » obietta ingenuamente Cazzaniga.

« Per forza: ce li siamo comprati tutti quanti noi: io e il mio collega *Cape 'e chiuovo* » spiega lo studente. « Siccome non ne trovavamo più a Napoli, per non scontentare la clientela, siamo stati costretti a prenderci uno stock che era stato mandato a Milano per i tifosi interisti. »

« E va bene » sospira Cazzaniga, tirando fuori dal portafoglio centomila lire. « Ma siamo sicuri che si tratta di biglietti validi? »

« E no, dottò, questo non lo dovevate dire! » protesta un po' offeso lo studente. « Vi perdono perché non siete napoletano, ma vi faccio osservare che state acquistando in casa mia. Comunque se avete bisogno di referenze non ci sono problemi: potete chiedere al commissariato di Fuorigrotta e loro vi diranno con chi avete a che fare. »

« A proposito, » chiede Cazzaniga « ma quando vendete i

biglietti allo stadio, non avete paura di essere arrestati dalla polizia? »

« La polizia e la finanza sono nostri alleati. Spesso siamo proprio noi che li mandiamo a chiamare. »

« Chiamate la polizia! »

« Sì, » conferma lo studente accalorandosi « perché i nostri veri nemici non sono i poliziotti, ma i falsari e gli *azzeccatori*. I falsari, perché vendono pezzi falsi e finiscono col rovinare l'immagine del bagarino, e gli *azzeccatori* per motivi simili. Insomma è tutta gente che ci scredita agli occhi del pubblico. Ragione per cui, appena ne individuiamo qualcuno, chiamiamo la polizia e lo facciamo arrestare. »

« Ho capito... ma gli *azzeccatori* chi sono? » domanda Cazzaniga, che a questo punto è rimasto affascinato dalla figura del bagarino e si è completamente dimenticato dell'ufficio.

« Gli *azzeccatori* sono persone abilissime che si appostano subito dopo i cancelli: si fanno dare il biglietto stracciato dagli spettatori, recuperano l'altra metà, *azzeccano* velocemente i due pezzi, e rivendono il biglietto restaurato all'esterno. »

*

Portineria di via Petrarca. Presenti Bellavista, Saverio, Salvatore e l'avvocato Capuozzo.

« Professò, » chiede Saverio « ve lo ricordate quello che faceva il sosia di Maradona? »

« Sì, » risponde Bellavista « l'hanno preso? »

« No, adesso ha cambiato mestiere: organizza i pullman per i tifosi che seguono la squadra in trasferta. L'ho incontrato ieri sotto la Galleria. Mi ha dato il programma per la prossima partita del Napoli a Firenze, guardate qua. »

Bellavista prende il volantino dalle mani di Saverio e legge ad alta voce:

```
FIORENTINA-NAPOLI
CAROVANA AZZURRA con I MARADONA BROTHERS
lire 49.500 - il prezzo comprende:
– Biglietto di curva
– Andata e ritorno in pullman lusso
– Cestino contenente:
  1 timballo di maccheroni
  2 arancini di riso
  1 panino
  1 mela
  ½ Peroncino
  1 caffè Borghetti
– Durante il viaggio sarà sorteggiato
  un pacchetto di Marlboro
```

« Le nuove orde barbariche! » commenta con aria di disgusto l'avvocato Capuozzo.

« Professò, che ne dite? » chiede Saverio. « E se ci andassimo a fare una passeggiata a Firenze? »

« Savè, » risponde il professore sorridendo « ti confesso che ne sarei molto tentato, se non altro per assistere al sorteggio del pacchetto di Marlboro. »

« E allora non ci pensate più e venite con noi, » dice Salvatore « io ho già versato la mia quota di partecipazione. »

« E io ci vado con mio zio Nicola, » aggiunge Saverio « e grazie a lui, in caso di vittoria del Napoli, la quota mi verrebbe completamente rimborsata dal "Club Vomero Vecchio". »

« Non ho capito, » dice Bellavista « perché ti dovrebbero rimborsare la quota? »

« Perché mi porto dietro a zì Nicola. »

« E chi è zio Nicola? »

« È una vecchia storia » comincia a raccontare Saverio.

« Voi dovete sapere che mio zio è noto come portafortuna
della squadra del Napoli. In pratica è stato dimostrato che
ogni volta che zio Nicola fa pipì il Napoli segna un goal. »

« Eh va be', » esclama il professore più scettico che mai
« si sarà trattato di una coincidenza. »

« No, professò! Quale coincidenza! » conferma Salvatore.
« Quella è una cosa scientifica: si chiama "telecinesi"! »

« Sì, scientifica! » sghignazza ironico Capuozzo, manife-
stando tutto il suo disprezzo per il folklore calcistico partenopeo. « Adesso ci mettiamo a studiare le analisi delle urine
dello zio di Saverio! »

« Avvocà, voi di calcio non ne avete capito mai niente! »
protesta Saverio.

« E me ne vanto... » dichiara l'avvocato.

« Dite quello che volete, ma il fatto di zì Nicola è stato
molte volte provato, » garantisce Saverio con serietà. « La
prima volta che si verificò il fenomeno fu nel 1970, quando
ci furono i campionati mondiali in Messico, ve li ricordate?
Benissimo, si stava giocando Italia-Svezia, la partita era appena cominciata, quando zì Nicola volle andare in bagno:
lui fece pipì e Domenghini segnò. Quella volta non ci facem-
mo caso. Io mi ricordo solo che dissi: "Zì Nicò, ti sei perso
il goal, tu sei andato in bagno e l'Italia ha segnato...". »

« E chiaramente era stato zì Nicola e non Domenghini a
segnare » commenta, sempre più ironico, l'avvocato Capuozzo.

« Poi la cosa si ripeté puntualmente durante Italia-Messi-
co » continua Saverio dopo aver fulminato Capuozzo con
un'occhiataccia. « Eravamo al 63° minuto, non me lo potrò
mai dimenticare. Fui proprio io che dissi: "Zì Nicò, *va' 'a fà
pipì*, vuoi vedere che succede come l'altro giorno che l'Italia piglia e segna!". Uè... Voi adesso non ci crederete: ma
come zio Nicola andò in bagno, Riva fece goal. Successe la
fine del mondo! Ci abbracciammo a zì Nicola mentre stava

ancora facendo pipì. E poi ci fu la famosa nottata di Italia-Germania. »

« Quella notte ci stavo pure io: posso testimoniare » conferma Salvatore alzando una mano in segno di giuramento.

« Zì Nicola l'avevamo obbligato a dormire per tutto il pomeriggio per paura che si addormentasse durante la partita. Come misero la palla al centro detti via libera a zì Nicola che già da mezz'ora si lamentava che aveva bisogno. E infatti, come volevasi dimostrare, zì Nicola non era nemmeno uscito dal bagno che Boninsegna era andato in goal: Italia uno, Germania zero. Sennonché da quel momento i tedeschi ci schiacciarono dentro alla nostra area di rigore: sembrava l'assedio di Fort Apache, tiri di qua, tiri di là, Albertosi non sapeva più che cosa parare. Io stavo con un occhio sul televisore e con un occhio sull'orologio. Pareva quasi che ce l'avessimo fatta, quando all'ultimo minuto quel fetentone di Schnellinger se ne viene sotto la porta nostra e pareggia. Uno a uno. Cominciano i tempi supplementari. La bonanima del ragioniere Cantarelli, che all'epoca aveva già avuto due infarti, disse: "Non c'è più niente da fare, è la disfatta!". "Nossignore," dissi io "non ci dobbiamo arrendere!" In tutto questo zì Nicola aveva avuto tutto il tempo per ricaricarsi, anche perché noi gli avevamo fatto bere due bottiglie di Fiuggi. Praticamente erano passate quasi due ore. Ordinammo a zì Nicola di andare in bagno. Zì Nicola si alza, Facchetti intercetta un pallone, zì Nicola apre la porta del bagno, Rivera passa a Domenghini, zì Nicola alza la tavoletta, Domenghini passa a Burgnich, zì Nicola fa pipì, Burgnich segna! »

Un applauso fragoroso interrompe la radiocronaca di Saverio. Anche Bellavista non ha potuto fare a meno di applaudire. La portineria, a poco a poco, si riempie di amici e di curiosi.

« Che vergogna! » è il commento lapidario di Capuozzo, peraltro ignorato da tutti.

« Ma non è finita » continua Saverio raggiante. « Riva segna ancora una volta e ci portiamo sul tre a due. Stavamo già per brindare alla vittoria italiana quando *chillu piezzo 'e mappina* di Müller pareggia per la Germania. Tre a tre. Avvilimento generale, il ragioniere Cantarelli sviene, io e Salvatore portiamo di peso zio Nicola nella stanza da bagno. Lui, *puveriello*, cercava di opporsi con tutte le forze. Diceva: "È inutile che perdete tempo, non ne tengo più voglia". E noi: "E forza, zì Nicò, forza, solo *'na goccia*", e intanto c'era chi gli apriva il rubinetto per fargli sentire il rumore dell'acqua e chi gli sussurrava nell'orecchio: "pss pss pss pss". Finché finalmente ecco un piccolo zampillo. Boninsegna a Rivera e Rivera GOAL! Italia-Germania quattro a tre. »

*

Il pullman dei Maradona Brothers non solo non è di lusso, ma è un residuato di guerra, uno di quei pullman bleu con i sedili di plastica, che con ogni probabilità ha trascorso un'intera vita a fare la spola tra Napoli e qualche sperduto paesino dell'entroterra napoletano. In compenso corre voce che il cestino sarà buonissimo; pare che sia stato preparato dalla signora Sorrentino in persona, madre dei sunnominati fratelli Sorrentino, e cuoca famosa per i suoi timballi di maccheroni.

Con gran sorpresa di tutti, il pullman non prende l'autostrada del Sole ma si avvia sull'Appia in direzione di Cassino.

« Non vi preoccupate, » dice il maggiore dei fratelli Sorrentino « oggi è domenica ed è meglio non fare il primo pezzo in autostrada: troveremmo troppo traffico. Ci facciamo invece l'Appia fino a Capua e poi ci buttiamo sull'autostrada del Sole. » Quindi rivolgendosi all'autista: « *Vamos muchacho, vamos* ».

Evidentemente Pasquale Sorrentino sente ancora una certa

nostalgia per il suo ex mestiere di manager di Maradona.

Il professore Bellavista, desideroso di avere notizie di prima mano sul fenomeno zì Nicola, fin dall'inizio si siede accanto al « goleador ». Il vecchio per i primi chilometri sonnecchia sballottato dal pullman, poi si sveglia all'improvviso e, dimenticando ancora una volta il motivo del viaggio, chiede ragguagli al nipote.

« Savè, Savè, dove stiamo andando? »

« 'O zì, andiamo a Firenze, andiamo a vedere la partita. »

« La partita? » ripete zio Nicola senza capire.

« Sì, Fiorentina-Napoli. »

« Gesù, Gesù! E dobbiamo andare fino a Firenze per vedere la partita? Non ce la possiamo vedere in televisione? »

« 'O zì, non la fanno in televisione. »

« Don Nicò, » dice il professore Bellavista « ma voi siete molto tifoso del Napoli? »

« *A me d'o Napoli nun me passa manco p'a capa!* » protesta energicamente zio Nicola, poi si avvicina al professore e, dopo essersi guardato in giro, gli chiede sottovoce: « Voi chi siete? Un giornalista? ».

« No. »

« E allora, » continua zio Nicola sempre sottovoce « dovete scrivere sul vostro giornale che qua la domenica la mia vita è diventata un inferno: mi fanno fare la pipì alle sette appena mi sveglio, poi un'altra volta verso le dieci e mezzo e poi non se ne parla più. Questi grandissimi fetenti mi chiudono il gabinetto a chiave. Posso schiattare ma non mi danno il permesso di fare un poco d'acqua fino a quando non comincia la partita, e certe volte mi fanno aspettare anche dopo il calcio d'inizio. »

« E perché? » chiede Bellavista anch'egli sottovoce.

« Perché il momento lo decide l'allenatore » risponde il vecchio, indicando col mento un tifoso dai capelli rossi.

« Ma è logico che lo deve stabilire il tecnico! » risponde quest'ultimo. « Se in quel momento la nostra squadra non attacca, io non posso sprecare una cartuccia a vuoto. Come si dice: il goal deve maturare. »

« E a Firenze come farete? »

« Abbiamo tutto l'occorrente con noi » dice l'allenatore, gettando uno sguardo a uno scatolone in fondo al pullman.

Il pullman improvvisamente rallenta e si ferma come se fosse finita la benzina. L'autista cerca di rimetterlo in moto, ma ogni tentativo si rivela inutile. Il mezzo è fermo lungo uno stradone assolato alla periferia di Casaluce, un paesotto a pochi chilometri da Aversa. Dopo uno sguardo approssimativo al motore fumante, l'ex Maradona si avvia in paese alla ricerca di un meccanico. Il tempo passa e tutti guardano con apprensione l'orologio. L'ex Maradona non si vede. Un certo nervosismo si comincia a diffondere tra i tifosi. L'arrivo a Firenze si fa sempre più improbabile. Il finto argentino ritorna avvilito: oggi è domenica, non ha trovato nessun meccanico. Qualcuno parla di restituzione dei soldi, ma al minimo accenno, i Sorrentino si fanno prendere da una crisi di sconforto. A questo punto Bellavista suggerisce una soluzione di compromesso: restituzione della metà dei soldi e colazione in loco. In tanta sfortuna però c'è almeno una circostanza a favore: il pullman si è fermato proprio accanto a una trattoria per camionisti, « L'Oasi ».

Tutti scendono. Il maggiore dei Sorrentino tratta con il proprietario della trattoria il solo uso dei tavoli dal momento che il gruppo dispone già di cibi propri. Non resta che ordinare del vino, cosa che avviene subito, anche grazie alla scoperta di un ottimo Gragnano fresco di grotta. Tra l'altro il proprietario dell'« Oasi » comunica che dispone di una radio transoceanica con la quale il gruppo potrà seguire il Napoli in « Tutto il calcio minuto per minuto ». Un po' il Gragnano, un po' il timballo della signora Sorrentino, un po' la stanchezza, piano piano tutti si rassegnano al mutamento di programma.

La partita comincia con la Fiorentina in attacco. Il gruppo

segue trattenendo il fiato ogni qual volta il pallone si avvicina alla porta di Castellini. Zio Nicola a un certo momento alza la mano e fa capire che per quanto lo riguarda lui sarebbe prontissimo, l'allenatore però non è d'accordo. Altri vorrebbero passare subito in vantaggio. Inizia una accesa disputa tra quelli che vogliono giocare subito la carta zio Nicola e quelli che invece preferiscono tenerla di riserva. A un certo punto tra le tante voci se ne impone una che grida:

« Nessuno si muova: vi dichiaro in arresto. »

Sono il commissario Di Domenico e l'appuntato Colapietro che finalmente riescono a mettere le mani sui due Sorrentino.

Tutti si alzano in piedi, qualcuno protesta cercando di prendere le difese dei Maradona Brothers, ma Di Domenico è inflessibile.

« Professò, io ve lo avevo detto l'altra volta: fosse per me li lascerei pure liberi, ma hanno voluto esagerare » sbuffa il commissario asciugandosi il sudore con un fazzolettone celeste. « Questo è il terzo viaggio fasullo che organizzano nell'anno, e ogni volta il pullman si ferma sempre davanti alla stessa trattoria. »

A tale rivelazione l'atteggiamento del gruppo verso i due Sorrentino cambia di colpo: tutti vorrebbero essere rimborsati immediatamente. Nel frattempo zio Nicola ne approfitta per andare in bagno, ma non fa quasi in tempo a soddisfare il proprio bisogno che dalla radio Ameri comunica che il Napoli è passato in vantaggio: ha segnato Maradona!

Esultanza generale. Tutti si abbracciano. Zio Nicola *'o Goleador* viene portato in trionfo. Il commissario chiede inutilmente chi è stato a segnare. Colapietro lancia in aria il berretto come ha visto fare nei film americani. Il proprietario dell'« Oasi » offre a tutti i presenti un bicchiere di Gragnano. Ma al momento del brindisi Di Domenico si accorge che i fratelli Sorrentino non ci sono più. Esce fuori e scopre che è sparito anche il pullman.

« Colapiè, presto! » urla il commissario precipitandosi verso la macchina. « Prendiamo la Giulietta e inseguiamoli. »

« Commissà, permettete una parola » grida il proprietario dell'« Oasi » correndogli dietro. « Non ci guastiamo questa bella giornata: lasciateli andare. Questo è il loro ultimo viaggio. Da domani Vincenzo Sorrentino si mette in regola: viene assunto dal Calcio Napoli come controfigura di Maradona. Lo useranno per depistare i tifosi all'uscita degli allenamenti. »

Il lamento del padrone di casa

« Uè, uè, uè, uè, uè... » schiamazza la banda di ragazzini che segue l'avvocato Capuozzo a un paio di metri di distanza.

Il pover'uomo continua a camminare, fingendo di ignorarli, ma i piccoli mariuoli non demordono: cadenzano gli uè di scherno sul suo passo e nel contempo producono un suono molto simile a una pernacchia, infilandosi una mano sotto l'ascella nuda. Trattasi di un particolare concertino di rumori, noto a Napoli come « musica giapponese », molto in voga tra i ragazzi del popolo. Per gli studiosi del folklore partenopeo, precisiamo che la pernacchia ascellare si ottiene ponendo una mano sotto l'ascella e alzando e abbassando ritmicamente il braccio, in modo da comprimere l'aria racchiusa tra il cavo della mano e il corpo.

Capuozzo appare del tutto indifferente alla presa in giro: in realtà freme d'indignazione, ma per non dare soddisfazione alla marmaglia finge di essere assorto nei suoi pensieri.

« Uè, uè, uè, uè, uè » incalzano, sempre più da vicino, i tormentatori: ogni passo provoca un uè e una pernacchia.

L'avvocato si ferma per un attimo come se volesse tornare indietro, poi riprende a camminare, quindi rallenta e subito dopo accelera di nuovo, il tutto per sfuggire alla cadenza ossessiva degli uè, ma l'abilità dei ragazzini è diabolica, e l'improvvisa fermata dà luogo a una spernacchiata ancora più lunga.

« Uè, uè, uè, uè, uè! »

Don Ferdinando, sostituto portiere, seduto come al solito davanti al portone, guarda la scena e minaccia i piccoli delinquenti.

« La volete finire o no? Uno di questi giorni mi alzo e vi ammazzo di botte! »

L'avvocato Capuozzo, consapevole di non poter contare sull'aiuto del sostituto portiere, si rende conto che l'unico modo per sottrarsi allo sfottò della *guagliunera* è quello di riparare nella vicina portineria, i ragazzini si fermano ancora per un po' fuori dal portone, continuando il concertino.

*

« Li sentite? » chiede Capuozzo ai presenti. « E la colpa lo sapete di chi è? È dell'equo canone. »

« Avvocà » risponde Salvatore. « Mò che c'entra l'equo canone! *Si 'e guagliune ve sfottono* è perché evidentemente vi trovano un poco curioso: che volete che ne possono sapere loro dell'equo canone: quelle sono anime innocenti! »

« Sì, sì: anime innocenti! » esclama Capuozzo. « Salvatò: qua se *'e guagliune mi sfottono* è perché il governo ha ridotto la figura del padrone di casa a un burattino qualsiasi. Una volta le cose non stavano così: una volta il padrone di casa era il terrore del quartiere. Quando arrivava nel palazzo la gente scappava e andava ad avvisare gli altri: *"Currite, currite ca sta arrivanno 'o padrone 'e casa!"*. Qualcuno addirittura si truccava per non farsi riconoscere. Oggi invece al danno si aggiunge la beffa: lo sfottono pure i bambini! Li sentite? Ebbene, questi sono gl'inquilini di domani! »

« Non ho capito una cosa, avvocà » interviene Bellavista. « Vi lamentate perché è diminuito il rispetto degli inquilini o perché è troppo basso l'equo canone? »

« Per tutti e due i motivi, professò, anche perché l'uno è conseguenza dell'altro. Questa mattina sono andato da un mio inquilino, tale Improta Luigi, uno che tiene una bottega di ciabattino in via Sergente Maggiore. Premesso che siamo a metà del mese, e che quindi stava già con due settimane di ritardo, io gentilmente gli ho chiesto la pigione; ebbè, che vi credete mi abbia risposto?... Niente, assolutamente niente, come se non avessi parlato! Senza accennare a una scusa, che so io, a una dimenticanza, si è rivolto direttamente al fratello e gli ha detto: *"Gennarì, tieni quaccosa 'e spiccio pe' Capuozzo?"*. Proprio così ha detto: *"Tieni quaccosa 'e spiccio pe' Capuozzo"*, come se io fossi stato un poveretto che era venuto a chiedere l'elemosina. E io non gli ho potuto dire niente. Per forza, che potevo dire? Quello aveva ragione. Sessantamila lire al mese per una bottega d'angolo a via Sergente Maggiore sono effettivamente una elemosina! Dice: ma per i negozi esiste lo sfratto, tu perché non lo mandi via? E come lo mando via: quello mi dimostra che il basso non è un negozio, è un'abitazione. Dice: ma come può essere una abitazione se proprio il Comune ha messo fuori la targa con la scritta: "Terraneo non destinabile ad abitazione"? E quello se ne frega della targa e ci abita lo stesso. Dice: ma tu prima non hai detto che fa l'artigiano, che ripara le scarpe? Sì, però lui sostiene che le ripara per hobby. Avete capito a che punto siamo arrivati?... Siamo arrivati al punto che un analfabeta zozzoso, che fino all'altro giorno era soprannominato *"per 'e puorco"*,[1] adesso si è imparato a dire "hobby"! Il fratello minore, quando mi ha dato le sessantamila lire, le ha prese dalla tasca dei pantaloni, tutte fetenti, e me le ha messe in mano, una alla volta, proprio come se fossero una elemosina! »

« Avvocà, ma quanti bassi e quante case tenete sparpagliate per tutta Napoli? » chiede Salvatore incuriosito.

« E questo che c'entra con la mancanza di rispetto? » risponde Capuozzo alquanto risentito.

« No, era solo per sapere, » precisa Salvatore « perché se

---

[1] « Piede di porco. »

è vero che di case ne tenete tante, anche se fossero tutte a fitto bloccato, io penso che alla fine del mese mettete insieme tanti di quei soldi che nemmeno voi sapete come poterli spendere. Poi, se non sbaglio, siete pure scapolo: non avete una famiglia da mantenere! »

« Ma che razza di ragionamenti vai facendo! » protesta Capuozzo diventando più rosso del solito. « Quante case tenete?! Quanti soldi fate alla fine del mese?! Siete scapolo, non siete scapolo?! Questi se permetti sono affari miei! »

« Lo chiedo perché siamo in democrazia. E poi che male c'è a chiedere una cosa così: io ve l'ho domandato solo per curiosità, non per fare un accertamento sul vostro reddito » si giustifica Salvatore.

« Salvatò! » ribatte l'avvocato « tu stai scambiando la democrazia con la cattiva educazione! »

« *Avvocà, nun ve pigliate collera,* » dice bonariamente Saverio. « Salvatore lo sapete com'è: è sempre stato un poco comunista. Lui è convinto che la proprietà è un furto e siccome voi di proprietà ne tenete tante... »

« E già, perché io le proprietà me le sono andate a rubare a qualcuno di voi! » risponde Capuozzo. « Evidentemente, se ho degli appartamenti, è perché i miei antenati, a differenza dei vostri, per tante e tante generazioni, hanno lavorato e hanno creato un patrimonio. »

« E poi siete arrivato voi e vi siete fermato » conclude bonariamente Salvatore.

« E che vuoi dire con questo "vi siete fermato"? » chiede Capuozzo. « Io non esercito in tribunale, però lavoro lo stesso dalla mattina alla sera per gestire la proprietà, e lo sa solo Dio quanto sudore e quanto veleno mi debbo ingoiare! »

« Avvocà, voi vi arrabbiate troppo facilmente » commenta Bellavista. « Salvatore, lo sappiamo tutti quanti, è marxista osservante e Carlo Marx una volta ha detto che dietro ogni grande patrimonio c'è sempre, come capostipite, un pirata. »

« Va be', a questo punto me ne vado! » dice Capuozzo alzandosi di scatto e avviandosi verso la porta a vetri. « Se anche un uomo di lettere come il professor Bellavista si fa esaltare dalla demagogia, io non ho più niente da dire. La cosa che più mi meraviglia è che pure i russi e i cinesi si sono accorti che il comunismo è in crisi, tanto è vero che stanno facendo marcia indietro, mentre invece in questa portineria si fanno ancora gli stessi discorsi che si facevano nel '68. »

*

« Professò, » chiede Salvatore alquanto preoccupato « ma è vero quello che dice Capuozzo: che il comunismo è in crisi pure in Russia? »

« Tutti i grandi sistemi economico-politici sono in crisi » risponde Bellavista. « Sono in crisi sia il comunismo che il capitalismo. Il problema dell'economia moderna è quello di trovare una via di mezzo tra questi due sistemi. »

« Professò, toglietemi una curiosità, » interviene Saverio « ma se il comunismo lo ha inventato Carlo Marx, il capitalismo chi l'ha inventato? »

« Be', se proprio vogliamo trovare un padre al capitalismo, potrei citare il nome di Adam Smith, un gentiluomo scozzese vissuto duecento anni fa, autore di un libro intitolato: *Ricerca sopra la natura e le cause della ricchezza delle nazioni*. Ma, a essere sinceri, ho paura che il capitalismo si sia inventato da solo e che Smith sia stato solo quello che ne ha raccontato la storia. Comunque, tanto per inquadrare il discorso, le cose stanno in questi termini. Dice Smith: "Più un uomo lavora e più produce ricchezza. Tutto il di più che l'uomo ha prodotto (e che non è riuscito a consumare) diventa ricchezza per la sua nazione. Ma come fare a convincere l'uomo a lavorare più di quanto ne abbia realmente bisogno? Questo è il problema". »

« Pure il comunismo dice che la ricchezza è nel lavoro »

obietta Salvatore. « Solo che quasi mai va a finire ai lavoratori. »

« Sì, però il ragionamento di Smith è molto più sottile » continua Bellavista. « Seguiamolo un istante: per convincere l'uomo a lavorare e a produrre di più di quanto non sia capace di consumare, noi dobbiamo puntare tutto sulla sua voglia di arrivare prima degli altri. Dice Smith all'Uomo: se tu lavori molto, io in cambio di questo lavoro ti darò tanti pezzi di carta sui quali scriverò una sterlina, cento sterline o mille sterline, e tu sarai tanto più felice per quanto più denaro riuscirai a mettere da parte. In pratica il capitalismo fa affidamento sull'egoismo umano e sulla sua voglia di arraffare. »

« E non mi pare una bella cosa » commenta Salvatore.

« Carlo Marx invece, » spiega il professore « avendo saputo da un certo Gian Giacomo Rousseau che l'Uomo era buono per natura, decise di far leva sulla bontà. In altre parole, è come se avesse detto all'Uomo: tu devi lavorare per il bene della collettività, poi tutto quello che riuscirai a produrre verrà diviso in parti uguali tra gli uomini della nazione. Settanta anni dopo l'avvento del primo esperimento comunista, abbiamo tirato le somme e ci siamo accorti che il capitalismo aveva capito l'animo umano un po' meglio del comunismo: l'Uomo era mèno buono di come se lo era immaginato Rousseau. Nei paesi dove il lavoro veniva retribuito in contanti, lavorava come un pazzo, e in quello dove era un semplice impiegato faceva il lavativo. »

« Allora ho vinto io » esclama trionfalmente Saverio. « È meglio il capitalismo! »

« Piano: analizziamo con più attenzione il problema » risponde Bellavista. « Puntando sull'egoismo e sulla concorrenza, il capitalismo ha finito col considerare il denaro un fine da raggiungere e non un mezzo per acquistare dei beni. In pratica gli uomini, innaffiando ogni giorno le pianticelle del loro egoismo, hanno finito col trasformare queste pianticelle in una giungla micidiale. Sull'altare del Dio Denaro sono stati consumati i peggiori misfatti. La corsa al Potere ha finito col corrompere gli animi, e non mi riferisco solo ai grandi delinquenti tipo i mafiosi, ma anche al chirurgo che ricorre al parto cesareo quando non è strettamente necessario, al funzionario delle Finanze che accetta la bustarella, al contadino che incendia il bosco per trasformarlo in pascolo e via dicendo... »

« ...e quindi, come ho sempre detto io, è meglio il comunismo » si pavoneggia Salvatore.

« Alto là, » lo blocca Bellavista « vediamo nel frattempo che cosa è successo dall'altra parte. Dopo Marx è arrivato Lenin, e dopo Lenin è arrivato Giuseppe Stalin. Ora, a quanto pare, questo Stalin era un po' meno idealista dei suoi predecessori, diciamo pure che aveva la mano pesante. Quando si è accorto che le campagne non producevano secondo le sue aspettative, ha chiamato il contadino e gli ha detto: *guagliò*, se proprio non ti va di lavorare per amore del prossimo, vuol dire che lavorerai per forza. Risultato finale: forse più uguaglianza, certo meno libertà. »

« Allora, » conclude Saverio « se ho capito bene, voi non siete né capitalista né marxista. »

« Proprio così. »

« E allora che siete? »

« Forse potrei definirmi un popperiano ottimista. »

« Mamma mia! » esclama Salvatore. « E che cos'è: un nuovo partito politico? »

« Assolutamente no » risponde Bellavista. « È semplicemente un modo di ragionare basato sulle teorie di un grande filosofo, l'austriaco Karl Popper. »

« Professò, se queste teorie sono difficili, è inutile che ce le spiegate: vi crediamo sulla parola » dice Saverio. « Se invece pensate che le possiamo capire pure noi, allora raccontatecele, perché a me, vi dico la verità, non mi dispiacerebbe, un domani, poter rispondere pure io: sono popperiano! »

« Popper è convinto che si possa imparare dagli errori »

continua Bellavista infervorandosi nel discorso. « E già, perché anche uno sbaglio, quando viene analizzato da una persona in buona fede, rappresenta un passo avanti sulla strada
della verità. Dice Popper: diffidate di tutti quelli che vi pro-
pongono come obiettivo finale la felicità e seguite coloro che
vi prospettano piccoli miglioramenti da conseguire passo dopo passo. »

« Professò, » obietta Salvatore « non è che vi voglio con-
traddire, per l'amor di Dio, ma a me queste mi sembrano solo
belle parole: in pratica questo Popper cosa ci propone di
fare per migliorare la situazione in cui ci troviamo, e cioè la
disoccupazione, la criminalità, il pericolo di una guerra nucleare e compagnia bella? »

« Popper crede nella parola e, per essere più precisi, nel
dialogo tra gli uomini disponibili. Questo della disponibilità
al dialogo è un concetto fondamentale per capire Popper.
Dice il vecchio filosofo: per avvicinarsi alla Verità è indispensabile che ognuno degli interlocutori sia sempre disposto
a modificare un pochino le proprie idee nel caso che l'altro
gli dimostri che ha torto. »

« Scusate, professò, » esclama Saverio « *ma a me 'stu Popper non me pare tanto 'na gran cosa*: è logico che uno cambia
idea quando un altro gli dimostra che ha torto! »

« Non sempre: gli uomini in genere, quando discutono,
per difetto di razionalità, sono assolutamente convinti di essere gli unici depositari della Verità e non ascoltano le ragioni contrarie. Anzi, a volte finiscono col radicalizzare le
proprie idee per allontanarsi ancora di più dal proprio inter-
locutore. »

« Va be', ma tutto questo a che serve? »

« A diffidare dei rivoluzionari e a preferire i riformatori.
Dice Popper: la lotta alla miseria deve essere condotta dal
Governo, mentre la ricerca della felicità deve essere lasciata
all'iniziativa privata. In altre parole, bisogna essere socialisti
al vertice e liberi imprenditori alla base. »

« E voi perché vi dichiarate ottimista? » chiede Saverio.

« Perché sono convinto che il mondo migliori ogni giorno. »

« Professò, mò l'avete detta grossa! » esclama Salvatore. « Qua ci stanno migliaia di fetenti in giro: ladri, assassini, terroristi, e voi ve ne venite che il mondo migliora! »

« Adesso i delinquenti sembrano tanti solo perché è aumentata l'informazione » risponde il professore. « Una volta ce n'erano di più, ma nessuno ne sapeva niente. Pensate che fino a pochi secoli fa tutti quelli che uscivano per strada erano costretti ad andare in giro con la spada. È ovvio che oggi, grazie ai giornali, alla radio e alla televisione, tutto quello che di cattivo succede nel mondo si viene a sapere. Eppure, malgrado quello che si legge sui giornali, io affermo che l'umanità diventa ogni giorno migliore, e con questo voglio dire che è la qualità media della razza umana a migliorare costantemente. Questa constatazione è importantissima, perché solo da una base più qualificata di cittadini può nascere una società migliore. Facciamo un esempio: pensiamo a un uomo corrotto e imbroglione... »

« A don Carmine Silipo, il mio padrone di casa » suggerisce Saverio.

« ...ebbene, quest'uomo resterà un corrotto e un imbroglione anche dopo un'eventuale rivoluzione. »

« E allora che dobbiamo fare? »

« Dobbiamo sperare nei tempi lunghi » risponde Bellavista. « Popper sostiene che solo le riforme possono favorire un lento ma sicuro sviluppo della qualità media. Con le riforme il figlio di quell'uomo corrotto diventerà sicuramente migliore del padre. »

« Sarà come dite voi! » mormora Salvatore alquanto dubbioso. « Io però ho paura che se ci mettiamo a votare questo Popper arriviamo ultimi, e in politica si può essere rivoluzionari, riformisti, tutto si può essere, tranne che in pochi, altrimenti quelli della maggioranza se ne approfittano e ce lo mettono a quel servizio: a noi e a Popper! »

*

« Fuori c'è Salvatore » dice la signora Cazzaniga.

« Fallo entrare » risponde il marito.

È sabato mattina. Il dottor Cazzaniga è nel suo studio alle prese con i moduli dell'autotassazione di novembre. Come dirigente dell'Alfa Romeo non avrebbe alcun obbligo fiscale in questo mese, ma, essendo proprietario anche di un paio di appartamenti a Milano, si vede costretto lo stesso a rispettare la scadenza.

« Posso? » chiede Salvatore facendo capolino dalla porta.

« Ah sì, grazie di essere venuto » dice Cazzaniga. « L'ho fatta chiamare perché ho bisogno di un grande favore... »

« A disposizione: dite e sarete servito. »

« Si accomodi. »

« No grazie dottò: parlo meglio in piedi. »

« Dunque, come le dicevo, ho bisogno di lei. Mio fratello Umberto è il nuovo direttore della filiale di Napoli della IBM Italia... »

« Complimenti vivissimi. »

« ...e verrà trasferito, qui a Napoli, a partire dal 1° gennaio. Ora, dal momento che anche gli uffici della IBM si trovano in via Orazio, noi dobbiamo assolutamente trovargli un appartamento in questa zona. »

« Dottò, la cosa non è semplice » risponde Salvatore con tono professionale. « A meno di un colpo di fortuna, in tutta la collina di Posillipo non c'è nemmeno un buco libero. »

« E quale potrebbe essere questo colpo di fortuna? »

« La morte della signora Schilizzi. La stiamo aspettando tutti quanti da cinque mesi, in particolare io e mia moglie Rachelina. »

« In che senso, scusi? »

« Adesso vi spiego: la signora Schilizzi, povera donna, è affetta da un male incurabile: deve morire. Abita da più di vent'anni in questo palazzo: terzo piano, scala B, fitto bloccato. La signora non va d'accordo col figlio: è avara e lo tiene a stecchetto. Un giorno si comprò un televisore a colori. Dottò, credetemi: una meraviglia! 27 pollici, 99 canali e schermo antiriflesso! Io aiutai il facchino della ditta a portarlo sopra. Appena Sasà ci vide entrare con lo scatolone si mise a fare il diavolo a quattro. "Ma come," disse alla madre "ti sei andata a comprare un altro televisore e a me non mi hai voluto fare il cappotto di Armani!" Allora la signora rispose: "Se a te la televisione non ti piace, vuol dire che quando muoio questo televisore lo lascio in eredità a Salvatore". Ed è per questo motivo che io sto ancora con il *bianco e nero*. Ha detto il medico curante che la signora dovrebbe morire entro l'anno, in tempo in tempo per Fantastico 6. »

« Ho capito » dice Cazzaniga. « Ma, a parte il fatto che io auguro alla signora di vivere il più a lungo possibile, resterebbe sempre il figlio nell'appartamento. »

« Nossignore, » risponde Salvatore « il figlio ha sempre detto che lui a Napoli non si trova bene e che se ne vuole andare a vivere a Milano o a Torino. » Poi, abbassando la voce come per confidare un segreto: « Voi dovete sapere che Sasà è un poco omosessuale e che noi a Napoli non abbiamo abbastanza rispetto per la categoria: li chiamiamo "ricchioni". Allora succede che il giovanotto si offende e diventa isterico. In Alta Italia invece li chiamano gay e lui preferisce così. Ora se noi adesso diamo a Sasà una piccola somma, come si dice: un'opzione, lui si compra il cappotto di Armani, e noi ci facciamo consegnare una carta con la quale lui s'impegna a lasciare libera la casa non appena muore la madre. »

« Non mi sembra una cosa pratica, » obietta Cazzaniga scandalizzato « e se proprio lo vuol sapere, la trovo riprovevole anche dal punto di vista morale: sperare nella morte di una povera donna! E se poi non muore? »

« Prima o poi deve morire: è una questione di mesi. L'anno venturo ci sono i campionati mondiali di calcio e quelli bisogna vederli per forza a colori! »

« No, Salvatore, quest'appartamento della signora Schilizzi non fa per noi. E poi: cosa dovrei dire a mio fratello? Che stiamo aspettando la morte di una vecchia malata?! »

« E va bene: io lo avevo proposto perché, un domani, potevate abitare tutti e due nello stesso palazzo! »

« Grazie, ma le ripeto: non mi sembra molto pratico » replica Cazzaniga. « Tanto per dirne una: con quale scusa ci presenteremmo dalla signora per visitare l'appartamento? »

« Allora abbiamo un'altra possibilità. »

« Quale? »

« Quella del barone Belisario. »

« E sarebbe? »

« Mi hanno detto che il barone è riuscito a sfrattare un suo inquilino per morosità. La casa è un po' vecchia, ma la zona è signorile: si trova sulla discesa dell'Arco Mirelli, quasi alla riviera di Chiaia, a meno di un chilometro dalla IBM. »

« E allora non perdiamo tempo: telefoniamogli. »

« No, è meglio se ci andiamo di persona: quello sente che siete milanese e rimane impressionato favorevolmente. »

« E dove abita? »

« A quest'ora il barone è al Circolo Canottieri Napoli, al Molosiglio. Si sta prendendo il sole sul terrazzo. Se ci andiamo subito, ci offre pure l'aperitivo. »

« Sì, però io oggi non ho la macchina: l'ho lasciata a Pomigliano per il tagliando. »

« Non è un problema, » risponde Salvatore « ci andiamo con il 140 e scendiamo a Santa Lucia: dopo due minuti siamo arrivati al Circolo. »

*

Come ogni mattina quando il tempo è bello, Emanuele Belisario, barone di Airola e di Altavilla, soprannominato « Bel

Ami » dagli amici, è sdraiato al sole sul terrazzo del Circolo Napoli e si fa leggere il giornale da Cenzino, suo cameriere di fiducia. Il barone, in « principe di Galles » e scarpe marrone Church, è immobile su una sdraio con poggiapiedi e ha gli occhi chiusi per meglio assaporare il tiepido sole di novembre. Cenzino, in livrea bianca, è in piedi accanto a lui e gli legge i titoli del « Mattino ».

« Craxi e De Mita: accordo in vista per le giunte. »

« *Nun me passa manco p'a capa*, vai avanti! » commenta dal basso il barone senza aprire gli occhi e senza muoversi di un millimetro.

« Aumenta il deficit dello Stato: quindicimila miliardi in più rispetto alle previsioni » continua Cenzino con voce monotona.

« *Nun me passa manco p'a capa*, vai avanti! » ripete il barone.

« Grande manifestazione femminista in Africa. »

« Le femministe si debbono decidere: o la parità o la felicità » sentenzia Bel Ami. « Comunque a me *nun me passa manco p'a capa*, vai avanti! »

« Visentini dichiara guerra agli evasori fiscali. »

« Ha messo la pena di morte? » chiede il barone aprendo solo un occhio e guardando Cenzino.

« No. »

« E allora *nun me passa manco p'a capa*, vai avanti! »

Antonio, il cameriere anziano del Circolo, si avvicina al barone e, chinandosi verso di lui, gli dice:

« Barò, ci sono due signori che la cercano. »

Con la coda dell'occhio il barone di Airola e di Altavilla scorge in fondo al terrazzo la figura un po' tozza di Salvatore e quella di un altro uomo a lui sconosciuto.

« Falli accomodare. »

Salvatore, seguito da Cazzaniga, si avvicina sorridendo, mentre Antonio e Cenzino provvedono ad affiancare due poltroncine di vimini alla sdraio del barone.

« Barò, » esordisce Salvatore « ho il piacere di presentarvi il dottor Cazzaniga, direttore generale dell'Alfa Romeo... »

« No, non sono il direttore generale, sono solo il capo del personale di Pomigliano » precisa Cazzaniga.

« Sì, ma è milanese » precisa Salvatore.

« Molto lieto: Belisario » risponde il barone alzandosi in piedi.

« Il piacere è mio. »

« Accomodatevi: oggi è una giornata bellissima » dice il barone dando uno sguardo al cielo e sdraiandosi di nuovo. « Volendo, si potrebbe anche uscire per mare. Prendete qualcosa da bere: un bitter? Un aperitivo? Io vi consiglierei un copacabana. »

« A me va benissimo il copacabana » risponde Salvatore, con una certa facciatosta e senza avere la minima idea di che cosa sia un copacabana.

« Io preferirei un caffè » mormora Cazzaniga.

« Allora Cenzì, » conclude il barone « fai venire due copacabana e un caffè. Poi più tardi proseguiamo con la lettura del giornale: non mi perdere il segno. » Quindi, rivolgendosi a Cazzaniga: « Io il giornale evito di toccarlo con le mani e allora preferisco farmelo leggere da Cenzino. La stampa dei giornali sporca ».

« Avete ragione, barò, » ripete Salvatore « la stampa è sporca: i giornalisti scrivono solo fetenzie! »

« Allora, a che debbo l'onore? » chiede il barone.

« Barò, » attacca Salvatore « se vi abbiamo disturbato è perché il fratello del dottore qui presente, che poi sarebbe il nuovo direttore generale della IBM, deve venire a Napoli e allora... »

« È solo direttore di filiale » corregge Cazzaniga. « Non riesco a capire perché Salvatore ogni volta deve esagerare con i titoli professionali. »

« Non ci faccia caso: a Napoli si usa » risponde il barone con indulgenza.

« Dunque, come stavo dicendo, » riprende Salvatore « il fratello del dottor Cazzaniga è stato trasferito a Napoli e siccome io so che voi avete sfrattato quel vostro inquilino dell'Arco Mirelli, mi sono permesso di... »

« Volesse Dio che l'avessi sfrattato! » esclama il barone. « Quello non si muove nemmeno con le cannonate! »

« Ma non avete vinto la causa? »

« Certo che l'ho vinta: ma una cosa è vincere la causa, e una cosa è sfrattare un inquilino. A Napoli gli sfratti sono bloccati fino a nuovo ordine e nel frattempo quel fetentone continua a pagarmi mezzo canone. »

« Come sarebbe: mezzo canone? » chiede Cazzaniga.

« Adesso vi spiego: lui dice che mio padre, prima della guerra, fittò la casa a metà prezzo solo perché dentro ci stava *'o munaciello* e quindi nessuno la voleva. »

« Il monaciello? » ripete Cazzaniga guardando Salvatore.

« Sì, secondo lui, tra mio padre e suo nonno ci fu un accordo per riabilitare la casa dalle dicerie del popolino. A sentire papà, l'idea per *Questi fantasmi* Eduardo deve averla presa proprio da noi. Lei l'ha vista la commedia? »

« No. »

« Insomma, per farla breve, il mio inquilino paga solo la metà del canone perché sostiene che l'altra metà me la debbo far pagare dal *munaciello.* »

« E voi non potete far niente? » chiede Salvatore.

« E che posso fare? Più di vincere la causa! » risponde il barone allargando le braccia. « L'anno scorso per impaurirlo gli comunicai con una raccomandata che volevo vendere l'appartamento e gli mandai un finto compratore, un amico mio. Lui, prima lo fece accomodare, poi per spaventarlo gli disse di non entrare nel salotto perché quella era la stanza preferita *d' 'o munaciello.* Il salotto stava tutto al buio, ma il mio amico ci volle entrare lo stesso: ebbene, sapete che successe?... che non fece nemmeno un passo e si prese due schiaffoni in faccia e un calcio nel didietro. »

« Aveva un compare nascosto nel salotto? » chiede Cazzaniga alquanto impressionato.

« O ci stava veramente *'o munaciello* » commenta Salvatore.

« Ecco i copacabana » dice il barone.

« Ma chi è il *munaciello*? » chiede Cazzaniga.

« È un fantasma vestito da monaco » risponde Salvatore. « A Napoli ci sono moltissime famiglie che ormai si sono abituate e vivono serenamente tenendosi in casa *'nu munaciello.* »

*

Cazzaniga e Salvatore stanno in piedi sul 140, quasi di fianco al guidatore. L'autobus è pieno e i due non trovano di meglio che reggersi alla ringhiera che protegge il posto di guida.

« E lei crede ai fantasmi? » chiede ancora Cazzaniga.

« Ai fantasmi no, ma a *'o munaciello* sì. Vedete, dottò, *'o munaciello* è un fantasma bambino e come tutti i bambini ha sempre voglia di giocare. A voi non è mai successo che un giorno vi scappa tutto di mano? È *'o munaciello* che quel giorno tiene voglia di scherzare e vi urta in continuazione. Qualche altra volta invece vi cade una cosa per terra, che so io... una penna, allora voi vi chinate per raccoglierla e non la vedete più. Tanto che uno dice: "Ma come può essere... quella qua è caduta!". Poi cercate meglio e vi accorgete che è finita sotto il divano. Lì per lì non ci fate caso, eppure vi dovreste chiedere: "Ma come ha fatto la penna ad arrivare sotto il divano? Mica tiene le gambe una penna!". Ebbene, la spiegazione è semplice: è *'o munaciello* che con un calcio l'ha allontanata di qualche metro. »

« Deve essere una cosa terribile vivere con un *munaciello*, ammesso che esista » commenta Cazzaniga.

« Non è detto, » replica Salvatore « *'o munaciello* vi può

prendere anche in simpatia e se vi prende in simpatia, avete fatto la vostra fortuna. Terni al lotto, intuizioni, suggerimenti, lui vi assiste come un angelo custode; questo per non parlare della difesa dell'appartamento da ladri e maleintenzionati. E già perché *'o munaciello*, è bene saperlo, si affeziona soprattutto alla casa. Guai a chi volesse entrarci senza il suo permesso! È meglio avere in casa *'nu munaciello* che un impianto antifurto. »

« Scusate, » dice il conducente dell'autobus a Salvatore, interrompendolo « voi fate spesso questa linea? »

« No, perché? »

« Sapete se debbo andare dritto per via Domenico Morelli o se invece debbo girare a sinistra per via Arcoleo? No, perché siccome ho sostituito un collega che si è sentito male, il capoturno al deposito mi ha detto: "Pascà parti immediatamente che stiamo in ritardo!" e io sono partito senza farmi dare il percorso. »

« Dovete girare per via Arcoleo, » dice un signore basso sporgendosi tra Salvatore e Cazzaniga « poi fate il giro di piazza Vittoria e prendete la Riviera di Chiaia. »

« Nossignore, » interviene una signora con tre bambini attaccati alle gonne « fate Domenico Morelli, poi girate alla seconda a sinistra: imboccate via Gaetani e arrivate alla Riviera di Chiaia senza fare il giro di piazza Vittoria. »

Sentendo pareri tanto discordi il conducente pensa bene di fermarsi. Dietro l'autobus le auto in attesa cominciano a strombettare.

« Signò, non dite sciocchezze! » replica il signore basso. « Il 140 faceva via Gaetani trent'anni fa, ai tempi di Lauro, poi per evitare ingorghi lo deviarono per via Arcoleo. »

« Nossignore, vi sbagliate » interviene un signore anziano. « Ai tempi di Lauro via Gaetani era senso unico dall'altra parte; adesso invece ha il senso unico come dice la signora. »

« E questo che c'entra! » grida il signore basso. « A me del senso che vuole la signora non me ne importa proprio niente! Se vi dico che il 140 passa per via Arcoleo è perché so dove passa il 140! »

« E lo volete sapere meglio di me che abito a via Gaetani! » protesta la signora inviperita. « Se non ci credete vi faccio vedere il tabellone alla fermata! »

« Adesso, » interviene un uomo in tuta da meccanico « siccome la signora vuole scendere a via Gaetani, proprio davanti al portone di casa sua, dobbiamo deviare un autobus del Comune. »

« *Be', puverella! Chella tene tre creature!* » dice una donna del popolo. « *Si 'a putimmo favorì, passammo pe' via Gaetani.* »

« E io me la faccio a piedi fino a via Arcoleo?! » replica indignato il signore basso.

« Vi ordino di andare per via Gaetani! » grida la signora al conducente.

« Dottò, » commenta Salvatore « state assistendo a un dirottamento di autobus. »

« Sentite, » urla l'autista ai viaggiatori, abbandonando il posto di guida « dal momento che non vi siete messi d'accordo, io adesso vado a piedi fino alla prossima fermata a leggere il tabellone. Aspettate due minuti e non vi muovete: io mò torno. »

Il conducente scende dall'autobus e dopo una decina di metri incontra un vigile. Dai gesti di quest'ultimo pare che neanche lui sappia bene il percorso del 140, tanto è vero che entrambi vanno a chiedere informazioni al giornalaio di via Arcoleo.

« Salvatore, » dice Cazzaniga alquanto avvilito « ho paura che mio fratello non si troverà molto bene a Napoli. Veda, lui non è come me: lui è un uomo preciso... un intransigente... lavora alla IBM. Questa vostra città è tanto cara, ma non credo che potrà mai cambiare: il *munaciello*... il conducente dell'autobus che non sa il percorso... qui il tempo si è fermato. Ora se sia un bene o un male non saprei dirlo: so solo che mio fratello non è la persona adatta per viverci in mezzo. »

Socrate e la Tv

Socrate. Riposiamoci sotto questo cedro e poniamoci il problema se gli uomini con il passare del tempo diventano migliori o peggiori dei loro padri.

Critone. Non vorrei essere giudicato un pessimista come Antistene, ma ho paura che le nuove generazioni non abbiano quelle qualità che di solito vengono attribuite alle persone di buon senso, e che comunque sono indispensabili al filosofo.

Socrate. Mio buon Critone, hai tu qualche esempio da portare a difesa di questa tesi?

Critone. Purtroppo l'esempio che mi chiedi me lo ritrovo addirittura in casa: parlo, ma forse l'hai già capito, di mio figlio Trasibulo. Il ragazzo, invece di dedicarsi alle buone letture e allo studio della natura, dorme per buona parte della giornata e trascorre notti insonni in un sotterraneo di Atene chiamato «Dioniso Night».

Socrate. E tu invece, Critone, da ragazzo leggevi e studiavi tutto il giorno? Perché questo è il vero problema: il confrontare le qualità e i difetti delle nuove generazioni con le qualità e i difetti che noi anziani avevamo alla loro stessa età. Solo così potremmo capire se l'umanità è diretta verso il Bene o verso il Male.

Critone. Temo, o Socrate, che la risposta sarebbe ugualmente negativa. Anche noi, a venti anni, trascorrevamo la notte per le strade, io ad accompagnare te nel demo

Alopece e tu a riaccompagnare me al Ceramico, ma grazie agli Dei parlavamo tra noi, ed è stato appunto questo continuo parlare e questo discutere a formarci l'animo e la mente. Che cosa invece può imparare un giovane dei nostri tempi se ogni sera si rintana in una buia e fumosa discoteca, dove al massimo potrà ordinare a gesti qualcosa da bere?

Socrate. E perché si rifiutano di parlare tra loro?

Critone. Non potrebbero farlo nemmeno se lo volessero: il volume della musica è così alto che non consente loro alcun tipo di comunicazione. Se ben ti ricordi, anche noi da ragazzi eravamo soliti ballare il *kordax* e la *sicinnis* al chiarore della luna, ma tra un pezzo e l'altro ci riposavamo e avevamo modo di conoscerci. Oggi invece va di moda la discomusic, una specie di rumore non ispirato da alcuna Musa, che viene trasmessa di continuo e con la quale tutti ballano da soli, assorti in chissà quali lugubri pensieri. Ecco perché io parlo di figli degeneri, e quando dico degeneri non mi riferisco solo alla mia esperienza familiare, ma penso anche ai figli di Aristide, di Tucidide, di Cimone e di Pericle e li confronto con i loro padri.

Socrate. Concedimi, o Critone, di dubitare di quanto vai dicendo. Anche Temistocle, e prima di lui Senofane, e prima di lui Esiodo, e prima di lui Omero, si lamentavano dei giovani. A sentire costoro, ogni generazione sarebbe stata peggiore della precedente. Ora, se così fosse, i nostri figli sarebbero dei mostri più feroci delle Erinni e delle Moire messe insieme. Io temo invece che, ogni qual volta si torna con la mente ai tempi della giovinezza, un demone bonario, nascosto nella nostra memoria, cancelli con un colpo di spugna il Brutto per lasciar filtrare solo il Bello e il Sublime. **Basterebbe infatti ricordarsi di Atreo che dette in pasto al fratello Tieste i propri nipotini, di Eracle che uccise Telamone solo perché lo aveva preceduto nell'entrare in Ilio e dei gemelli Preto e Acrisio che lottavano per interesse fin da quando erano in attesa di nascere nel grembo materno, per non essere poi così sicuri della bellezza dei tempi andati.**

Critone. **Sarà come tu dici, o Socrate, ma ascolta il consiglio di un amico che ti vuol bene: se di notte per avventura ti capiterà d'imbatterti in uno sconosciuto, tranquillizzati se si tratta di un uomo della nostra età e abbi paura invece se è un giovane ateniese.**

Socrate. **Caro Critone, ecco venire alla nostra volta Simmia il tebano, chiediamo a lui se anche in Beozia i giovani sono tutti gaudenti e fannulloni.**

Critone. **Caro Simmia, siediti qui sull'erba e partecipa ai nostri discorsi. Io e Socrate stavamo parlando delle qualità delle nuove generazioni. Che tu sappia, in Beozia, sono migliori i giovani o i loro padri?**

Simmia. **Non saprei come risponderti, mio buon Critone: gli uni e gli altri non godono della mia stima. A Tebe altro non vedo che uomini e donne seduti a guardare in silenzio la televisione. Siamo arrivati al punto che in tutta la Grecia dire «beoti» o dire «telespettatori» sia diventato in pratica la medesima cosa.**

Socrate. **Consolati, Simmia: anche ad Atene la maggior parte delle persone adulte si rinchiude in casa a guardare la televisione. Ti dirò di più: a volte gli ateniesi accendono la Tv anche quando non desiderano vederla. L'altra sera ero ospite di Callia e notai che durante la cena la televisione restava accesa benché nessuno le prestasse attenzione. Tanto che chiesi al padrone di casa: «Dim-**

mi, mio gentile amico, è forse un lume codesta scatola che tu accendi ogni sera non appena metti piede in casa?».

Critone. Io credo che tu, Socrate, parli con tanto astio della televisione, perché a causa di essa hai dovuto litigare con Santippe. Mi ha detto Crizia, il figlio di Callescro, che la scorsa settimana la povera donna stava seguendo una telenovela di Aristofane, quando tu, in uno scatto d'ira, le hai fracassato il televisore lanciandogli contro un sasso. Il giorno dopo, nell'agorà, tutti dicevano che quel sasso tu avresti voluto lanciarlo direttamente sull'autore.

Socrate. Le cose non sono andate in questo modo, o Critone. Santippe stava ascoltando un telefilm di Aristofane, quando si è aperta la porta ed è apparso Callicle, quel sofista da strapazzo che una volta ebbi a umiliare in pieno Pritaneo. Callicle era alterato in volto, aveva il naso paonazzo e un sasso in mano: evidentemente doveva essere ubriaco. «Cosa vuoi, Callicle, a quest'ora della notte?» gli ho chiesto, e lui: «Voglio che tu mi dia ragione almeno una volta nella vita: se non mi dici entro un secondo che ho ragione, ti spacco il televisore!». Cosa potevo fare io, povero vecchio, contro un simile energumeno? Ho guardato l'apparecchio, ho visto che stavano trasmettendo la duecentoventiduesima telenovela di Aristofane e ho risposto: «Credo proprio che tu abbia torto, o Callicle» e lui ha lanciato il sasso. Poi, per calmarlo, gli ho detto: «Va' pure felice per la tua strada, che questa sera, per la prima volta nella vita, forse hai avuto ragione».

Critone. Tu non hai gettato il sasso, o Socrate, ma è come se lo avessi fatto: ti sei servito della mano di Callicle per distruggere il televisore di Santippe. Prima, quando Simmia ci parlava dei beoti che trascorrono tutto il loro tempo davanti alla Tv, ho intravisto nei tuoi occhi il desiderio di lanciare milioni di sassi! Dimmi onestamente se ho colto il tuo pensiero.

Socrate. Sei in errore, mio buon Critone: io non ho nulla contro la televisione, anzi: apprezzo il telegiornale e tutte le trasmissioni che mi consentono di vedere il mondo senza costringermi a fare e disfare le valigie. Sono contrario solo all'uso che tutte le reti, sia di Stato che private, fanno del mezzo televisivo. Esse trasmettono in continuazione solo programmi futili e ripetitivi: quiz, serial e show. È come se, invitandomi a un banchetto, tu mi offrissi da mangiare come primo un dolce, e come secondo ancora un dolce e come frutta un dolce e infine come dolce un dolce.

Critone. Perché non ne parli agli altri e non li convinci a mutare indirizzo, nei loro palinsesti?

Socrate. Ho tentato di farlo ma è stata fatica inutile: uno degli arconti voleva il predominio sulle reti di Stato e l'altro proteggeva le trasmissioni private. Il primo ha favorito il secondo con un decreto e ha ricevuto in cambio maggior potere nelle reti della polis, ma nessuno dei due ha tutelato l'interesse degli ateniesi.

Simmia. Come utilizzeresti tu, o Socrate, la televisione, se ne avessi il potere?

Socrate. Come prima cosa eliminerei il monoscopio.

Simmia. Il monoscopio?

Socrate. Sì: lo sostituirei con un programma educativo di bassissimo costo.

Simmia. E quale?

Socrate. Vedi, Simmia, noi qui ad Atene abbiamo un grande

problema: il numero dei criminali aumenta ogni giorno a vista d'occhio e le nostre carceri non sono più sufficienti a contenerli tutti. Per fare entrare i nuovi malfattori spesso si è costretti ad accordare la libertà provvisoria a quelli vecchi e ogni quattro o cinque anni viene concessa un'amnistia, il che non è di esempio al popolo.

Simmia. E questo, cosa ha a che vedere questo con la televisione?

Socrate. Un momento ancora e lo saprai. Ascolta questa storia di Solone il grande.

Simmia. Ti ascolto, o Socrate.

Socrate. Un giorno un ladro entrò in casa di un vecchio cieco e gli rubò tutto quello che aveva; qualcuno però lo vide uscire dalla casa dove aveva commesso il furto e il giorno dopo fu trascinato in catene davanti a Solone. Disse il saggio al mariuolo: «Chiudendoti in carcere ti farei un favore, perché ti aiuterei a nascondere la vergogna. Io invece preferisco che tu venga esposto nella pubblica piazza: solo così potrai sapere che cosa gli altri pensano delle tue azioni» e lo fece appendere in una gabbia tra le colonne del tempio di Zeus.

Simmia. Non riesco ancora a vedere la conclusione del tuo ragionamento, o Socrate

Socrate. Sii più paziente, o Simmia, e capirai. Solone quel giorno aveva inventato la berlina, aveva cioè capito che l'esposizione in pubblico di un criminale poteva essere una pena più educativa di qualche anno di carcere. Oggi però, non esistendo un'agorà così vasta da poter contenere tutti i cittadini dello Stato, io propongo di adottare in sua vece il video, ovvero la piazza televisiva, e di esporre la testa del reo al posto dell'inutile monoscopio.

Critone. E pensi che i colpevoli si vergognerebbero?

Socrate. Senz'altro, se il loro caso venisse spiegato nei minimi particolari. Vi faccio degli esempi: la Finanza fa un accertamento su Erissimaco il chirurgo e scopre che ha denunziato molto meno di quanto non abbia guadagnato. Allora il giudice lo condanna a sette giorni di monoscopio e alla seguente soprascritta: «Questo è Erissimaco, figlio di Acumeno, evasore fiscale, come chirurgo è solito percepire due milioni di mine per una semplice operazione di appendicite e nel contempo non dichiara mai più di un milione e mezzo di mine al mese». Altro caso: due teppisti scippano una vecchia signora e vengono arrestati. Il tribunale li condanna alla tele-esposizione per due mesi. Ogni sera gli spettatori, accendendo la Tv, vedrebbero uno dei due teppisti con la testa infilata in una gogna e sotto la scritta: «Individuo particolarmente vigliacco: in compagnia di un compare picchiava una vecchietta di settant'anni e le sottraeva le duecentomila lire della pensione, il volto del complice verrà trasmesso questa sera alle 22.30 sulla Rete Uno».

Critone. E non hai paura, o Socrate, che qualche truffatore, pur di apparire in Tv, incrementi i suoi delitti?

Socrate. Indubbiamente esiste questo rischio, tuttavia dobbiamo far ricorso ai residui di onestà che si annidano nell'ambito degli uomini per migliorare il mondo.

Critone. E non pensi che la televisione possa migliorare il mondo più di quanto tu non riesca a fare parlando con gli ateniesi, porta a porta?

Socrate. Forse potrebbe farlo. Resta comunque il problema che la televisione non accetta domande, è come un uomo che parla in continuazione senza mai prestare ascolto.

Critone. Non è quello d'ascoltare il suo compito, bensì quello d'informare. Si presume che, a seguito delle notizie trasmesse, possa poi aver luogo una discussione tra gli spettatori.

Socrate. Mai vista una famiglia ateniese spegnere il televisore per dare inizio a un dibattito. No, mio buon amico, temo proprio che il nostro secolo sia condannato alla passività! Donne che trascorrono la vita in silenzio a guardare la televisione, uomini che vanno a vedere la partita di calcio senza praticare uno sport, ragazzi e ragazze che ballano da soli senza mai sussurrarsi poetiche frasi all'orecchio! Dammi ascolto, o Critone, è la parola il vero dono del Dio, è il dialogo l'unica alternativa che hanno i nemici per evitare la contesa. Beati coloro che parlano, anche quando parlano troppo.

Indice

OSCAR BESTSELLERS

Smith, Gli eredi dell'Eden

Freeman, Ritratti

Robbins H., I mercanti di sogni

Lapierre – Collins, Il quinto cavaliere

Hailey, Aeroporto

Forsyth, I mastini della guerra

Salvalaggio, Villa Mimosa

McMurtry, Voglia di tenerezza

Van Slyke, Una donna necessaria

Freeman, Illusioni d'amore

Bevilacqua, Il curioso delle donne

Goldoni L., Colgo l'occasione

Ludlum, L'eredità Scarlatti

Steel, Due mondi due amori

West, La salamandra

Collins, Fortitude

Agnelli S., Vestivamo alla marinara

Condon, L'onore dei Prizzi

Smith, Una vena d'odio

Biagi, Senza dire arrivederci

Fruttero & Lucentini, A che punto è la notte

Conran, Segreti II

Lapierre – Collins, "Parigi brucia?"

Mason, Il mondo di Suzie Wong

Puzo, Il padrino

Steel, Stagione di passione

Higgins, Il tocco del diavolo

Steel, Una perfetta sconosciuta

Clavell, La Nobil Casa

Sulitzer Paul-Loup, Il re verde

Van Slyke, I visitatori devono farsi annunciare

Steel, Un amore così raro

Sinclair, Shaka Zulu

Lapierre – Collins, Gerusalemme! Gerusalemme!

Tacconi, Lo schiavo Hanis

Lipper, Wall Street

Puzo, Il Siciliano

De Crescenzo, Storia della filosofia greca - I

De Crescenzo, Storia della filosofia greca (2 voll. in cofanetto)

Gilmoure, Attrazione fatale

Smith, Un'aquila nel cielo

Parma, Sotto il vestito niente

Le Carré, La spia che venne dal freddo

Smith, La spiaggia infuocata

Robbins H., L'immortale

Slaughter, Affinché nessuno muoia

Puzo, Mamma Lucia

De Crescenzo, Storia della filosofia greca - II

Bradley, Le nebbie di Avalon

Higgins, La notte dell'aquila

Steel, Palomino

King, Incendiaria

Kazantzakis, Zorba il greco
Korda, Fortune terrene
Bellonci, Rinascimento privato
Leduc, La bastarda
Elegant, Il Mandarino
Massa Renato, Per amore di un grillo, e di una rana e... di tanti altri
Malerba, Il serpente
Mari – Kindl, Il bosco: miti, leggende e fiabe
Theroux, Costa delle zanzare
Pontiggia, Il giocatore invisibile
Jirasek, Racconti e leggende della Praga d'oro
Pomilio, La compromissione
Mishima, Colori proibiti
Coscarelli, Fortunate e famose
Tobino, Zita dei fiori
Eco Umberto, Diario minimo
De Crescenzo, Raffaele
Faulkner, Luce d'agosto
Lovecraft, Tutti i racconti (1917-1926)
Konsalik, Il medico del deserto
Forester, Avventure del capitano Hornblower
Green J., Passeggero in terra
Bernanos, L'impostura
Coccioli Carlo, Davide
Nievo S., Le isole del Paradiso
Hailey, Medicina violenta
Slaughter, Donne in bianco
Carroll – Busi, Alice nel paese delle meraviglie (libro + 2

audiocassette con brani interpretati da Busi)
Chiara, Il meglio dei racconti di Piero Chiara
Carver, Cattedrale
Grimaldi Laura, Il sospetto
Roncoroni, Il libro degli aforismi (a cura di)
Forsyth, Nessuna conseguenza
Faulkner, Gli invitti
London, Racconti dello Yukon e dei mari del Sud – 2 voll. in confanetto
Il libro dei re
Pomilio, Il testimone
AA.VV., Appassionata
Mailer, Un sogno americano
Narratori cinesi contemporanei, Racconti dalla Cina
Childe, Streghe, vittime e regine
AA.VV., 150 anni in giallo
Zorzi, Nemici in giardino
Rossner, In cerca di Goodbar
Hemingway, Il giardino dell'Eden
Zavoli, Romanza
Strati, Tibi e Tascia
Kipling, Kim
Bellonci, Lucrezia Borgia
Chiusano, L'ordalia
Hesse, Rosshalde
Gatto Trocchi, Fiabe molisane

«Oi dialogoi»
di Luciano De Crescenzo
Oscar bestsellers
Arnoldo Mondadori Editore

Questo volume è stato stampato
presso Arnoldo Mondadori Editore S.p.A.
Stabilimento Nuova Stampa Mondadori - Cles (TN)
Stampato in Italia - Printed in Italy